D10759978

C'est comme ça,
ne discute pas.

Jacques Salomé

C'est comme ça, ne discute pas.

Les 36 000 meilleures façons de (ne pas) communiquer avec son enfant.

Illustrations de Dominique de Mestral

Albin Michel

"Ces petites phrases que chacun de nous porte
quelque part entre la mémoire et l'instinct...
petites phrases toutes faites qui, lorsque l'enfant
paraît ressurgissent là où on les attend le moins."

Nina Sutton

Introduction

"Pour être écouté, disait ma grand-mère, il faut savoir entendre."

Je n'ai pas cherché à présenter un catalogue exhaustif, ni même un inventaire, mais juste un aperçu de ces phrases typiques de l'esprit dont elles témoignent et qui caractérisent une certaine forme d'incommunication entre les adultes et les enfants.
Je n'ai pas souhaité proposer un florilège, mais inviter à une réflexion et au-delà à un changement.

Ces petites phrases habitent encore nos mémoires d'adultes et plus encore la mémoire de nos corps et de nos cellules. Distillées au long des jours de notre enfance, en perfusions à dose homéopathique ou en injections de rappel, ou encore lâchées dans des moments d'irritation, d'énervement ou de colère, elles nous ont pénétrés, nous ont imprégnés au point qu'elles paraissent, parfois, sculpter notre personnalité.
Sibyllines ou assassines, douces ou amères, despotiques ou d'apparence libérale, souvent enrobées des meilleures intentions et pétries de bons sentiments, c'est cependant l'ensemble de la situation et le contexte de leur énoncé qui en définissent l'impact et la portée.

Autant de critères et de facteurs que l'écriture ou la liberté des dessins et des illustrations ne peuvent pas toujours rendre, mais qu'il sera aisément possible d'imaginer, de reconnaître, de deviner.

Quand nous étions enfants, ces messages ou ces réponses étaient accompagnés de regards, de gestes, d'attitudes, de mimiques et d'intonations qui tantôt en renforçaient les effets, tantôt les contredisaient suivant l'état d'esprit de l'émetteur. Créant ainsi de véritables situations d'apprentissage par le conditionnement, sur fond de terrorisme domestique ou de douce folie familiale.

Chacun se reconnaîtra dans l'énoncé de certaines phrases ou s'en étonnera, d'autres encore resteront sans doute perplexes ou seront peut-être choqués par le potentiel d'inconscience, la dose de violence, d'ambivalence ou de paradoxes qu'elles révèlent.

Bien sûr ces phrases ou ces messages ponctués d'injonctions, de menaces, d'affirmations péremptoires ou de culpabilisations s'exprimaient dans des conditions, une ambiance et un climat particuliers.

Qu'il s'agisse de la sphère d'intimité ou de lieux publics, de relation à deux ou d'exposition collective, elles avaient une portée et un retentissement importants.

La table familiale en était le plus souvent le champ d'expression privilégié, mais aussi la salle de bain, la chambre, le vestibule... ou la voiture.

Dans un climat de tension, de précipitation ou à l'occasion des temps de partage de la vie commune, ces phrases jalonnaient l'existence quotidienne, en particulier dans les moments de séparations et de retrouvailles...

Certains lieux publics, la rue, le quartier aussi, pouvaient en favoriser l'explosion comme pour en amplifier le résultat ou préserver l'image de soi aux yeux des autres et du monde. L'important dans ces moments-là n'est-il pas de montrer : "je ne laisse pas ces petits faire n'importe quoi !"

Au-delà de leur caractère commun à de nombreux milieux, de leur violence ou de leur côté humoristique, n'oublions pas qu'elles pouvaient inscrire chez l'enfant des blessures profondes, pernicieuses à base de doutes, de non-confiance, de soumission ou de révolte. Et altérer durablement la qualité de son sentiment d'exister.

Car ces phrases surgissent très tôt dans la vie d'un couple, d'une famille. Elles se déposent au moment difficile du sevrage relationnel quand un bébé " passe " de la maman… à la mère, quand un enfant découvre au-delà du papa… le père, et que les parents sont confrontés à la nécessité de faire le deuil de leur toute-puissance et de leur pouvoir sur l'enfant.

Leur malignité est sournoise car souvent peu repérée, mal identifiée et rarement dénoncée. Elles sont d'une banalité tellement ordinaire qu'elles en paraissent naturelles.
À la différence de violences plus physiques, plus visibles, elles font mal à retardement.

Leurs effets sont toxiques et durables car elles entretiennent une non-communication endémique entre enfants et adultes.

Prévisibles et répétées ou imprévisibles et plus circonstancielles, elles agissent à l'instar d'une pollution constante ou d'une agression permanente qui usent les énergies et grippent les possibilités d'un échange ou d'un partage plein.

Chacune de ces petites phrases est d'une grande efficacité. Une seule suffit pour empêcher ou violenter toute tentative de communication.
Pour certains adultes trop anxieux… il est possible d'en utiliser plusieurs à la fois dans un même échange.
Les résultats pour bloquer tout partage seront au-delà de toute espérance !

Au-delà de toute ironie, nous invitons à prendre le risque d'oser des renoncements, pour ne pas "mettre ces phrases en circulation", pour ne plus les entretenir et ne pas leur donner plus de vie….

Car leur prolifération et leur banalisation développent une véritable éthique anti-relationnelle, toute une manière erronée d'être au monde et face à soi-même.
Elles induisent une communication rétrécie, réactionnelle, à base de non-dits, d'échanges en conserve, répétitifs, vidés de toute vitalité.

Ces phrases, ces expressions traversent les âges et les générations. Dans leurs versions classiques ou en " remake " plus modernes et actualisés, elles contribuent à entretenir une forme de communication figée, stéréotypée, fonctionnelle, au détriment d'une communication relationnelle qui favoriserait, c'est notre espoir, le respect, la joyeuseté, l'inventivité et la créativité entre les parents et les enfants.

Pour l'instant nous pouvons déjà en sourire.

"L'enfant a droit à la liberté d'expression. Ce droit comprend la liberté de rechercher, de recevoir, de répandre des informations et des idées de toute espèce, sans considération de frontières, sous une forme orale, écrite, imprimée ou artistique, ou par tout autre moyen de choix de l'enfant."

Convention des droits de l'enfant adoptée par les Nations Unies le lundi 20 novembre 1989.

Nier ce qui est vécu par votre enfant.

" **Tu** ne vas pas en faire un drame ! Ça aurait pu être pire ! Qu'est-ce que tu vas chercher là ? "

" **C'est** moi qui sais tout... pour toi ! "

" **Mais** non, ça ne fait pas mal ! Ce que tu peux être douillet quand même ! "

" **Mais** je fais tout doucement pourtant, tu ne dois rien sentir ! Tu fais toujours des histoires ! "

" **Ça** ne sert à rien de se mettre en colère, tu te fais souffrir inutilement, il faut que tu apprennes à grandir un jour... "

" **Tu** n'as aucune raison d'être triste comme ça, ce n'est pas ton vrai oncle qui est mort, seulement le mari de ma sœur ! "

" **Tu** n'as pas à avoir peur dans le noir, tu sais bien qu'il n'y a pas d'ogre caché dans la penderie !"

" **Mais** non, tu te fais des idées, ton père t'aime autant que ton frère !"

" **Ce** n'est pas grave quand même ! Tu fais toujours des histoires ! Tu n'es plus un bébé !"

" **Mais** de quoi tu te plains ? C'est quand même bien d'avoir la moyenne !"

" **Tu** n'as aucune raison d'être malheureux. Tu vis dans une maison où tout le monde s'entend bien !"

Oui, les enfants chambardent nos existences. Le malheur veut que nous nous chargions de leur éducation au lieu de les laisser faire la nôtre. Et tout le malheur vient de là.
Christiane Singer

«MAIS NON ÇA NE FAIT PAS MAL!!!
CE QUE TU PEUX ÊTRE DOUILLET QUAND MÊME!»

Donner des injonctions et induire ainsi chez l'enfant des ressentis ou des sentiments qui deviendront... les siens.

" **Allez,** c'est fini, arrête de pleurnicher, tu ne vas pas rester triste toute ta vie, ce n'est qu'un chat après tout !"

" **Tu** dois aimer ton père et respecter ton grand-père. Ce n'est pas parce qu'ils boivent que tu dois te sentir supérieur à eux !"

" **Tu** fais le difficile mais je sais au fond que tu aimes ça !"

" **Je** sais que tu m'en veux, mais plus tard tu me remercieras d'avoir fait ça pour toi !"

" **Un** garçon ne pleure pas, tu dois montrer que tu es courageux!"

" **Mais** enfin tu vas te taire, tu sais bien que tu ne dois pas répondre à ta mère comme ça !"

" **Une** fille, ça doit apprendre à faire le ménage et à participer aux travaux ménagers. Regarde comment je passe mes journées, moi !"

Un jour, pendant le déjeuner, j'ai même eu droit à une gifle — ma première gifle — parce que j'avais laissé échapper un "tralala "! " On ne chante pas à table !" a tonné mon père. " On ne chante pas si l'on n'est pas chanteur " a enchaîné ma mère. Moi je pleurais et répétais dans mes larmes : " mais ça chante dans ma tête !"
Suzanne Tamaro

«ARRÊTE DE PLEURNICHER ! ALLEZ... C'EST FINI MAINTENANT, TU NE VAS PAS RESTER TRISTE TOUTE TA VIE, CE N'EST QU'UN CHAT APRÈS TOUT !»
C'est quand même bon de se plaindre. Moi j'aime ça !
Mais lui il savait m'écouter au moins et il acceptait mes câlins...

Penser, parler pour l'enfant.

" **Elle** se plaint toujours. C'est sa façon d'essayer d'attirer l'attention."

" **Tu** devrais penser à mieux travailler plutôt qu'à regarder la télé durant des heures !"

" **Moi**, à ta place, je ne continuerai pas à fréquenter ce garçon, il n'est pas bon pour toi ! "

" **Je** vous ai fait venir, madame, pour vous montrer combien votre fils était insupportable, il n'a vraiment aucune éducation..."

" **Vous** savez, il ne faut pas se fier à ce qu'il dit, il ment comme il respire !"

" **Non**, il n'est pas capable d'aller à cette sortie à vélo ! Il est incapable de faire un effort physique pendant plus de 10 minutes !"

" **Il** casse tout, on ne peut rien lui demander, il ne sait pas se servir de ses dix doigts !"

" **Si** j'étais toi, je ne me mêlerais pas de cette histoire..."

Je voulais toujours monter dans la poussette de mon frère. La nourrice me disait que j'étais trop grand, que j'étais un grand garçon et qu'en tant qu'aîné je devais marcher ! Ah bon !
David Bisson

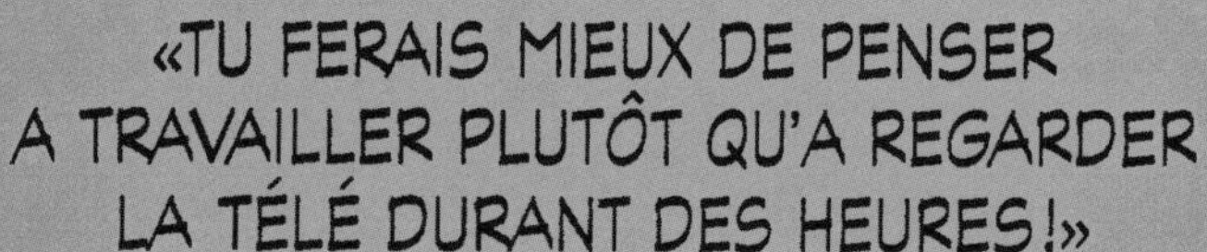
«TU FERAIS MIEUX DE PENSER
A TRAVAILLER PLUTÔT QU'A REGARDER
LA TÉLÉ DURANT DES HEURES !»

Qu'est-ce qu'ils ont tous dans cette famille contre la télé ? Moi j'apprends plein de choses... Même quand je fais semblant de travailler...
J'ai pas besoin d'apprendre et ils crient quand même souvent sur moi.

Critiquer, réduire ou mettre en évidence l'aspect négatif de la vie.

" **Ne** le flattez pas davantage, il n'a fait que son devoir, il faut qu'il apprenne à être modeste !"

" **Il** faut toujours qu'il s'imagine être le meilleur !"

" **Si** tu t'imagines que tu es malin en faisant peur à ta sœur !"

" **Ah !** pour sortir et se montrer, elle est toujours la première, mais si elle croit que c'est ça la vie !"

" **Aujourd'hui** tu es jeune, mais tu verras plus tard... c'est plus dur que tu ne le penses de bien gagner sa vie et surtout d'être heureux ! Ton père et moi on croyait qu'on pourrait..."

" **D'ailleurs** on n'est pas sur terre pour être heureux, mets-toi bien ça dans la tête !"

" **Bien** que tu réussisses à tous tes examens, ça ne veut pas dire que tu réussiras dans ta vie. Quand on est grand, c'est beaucoup plus difficile !"

" **C'est** ça la vie, ma petite ! Qu'est-ce-que tu t'imaginais ? Que tout t'arriverait tout cuit dans le bec ! Ma pauvre, tu en verras bien d'autres dans la vie !"

Je n'arrivais jamais à satisfaire mon père. Il manquait toujours quelque chose à mes résultats. Un jour il trouva même que "puisque je n'avais fait aucune faute en dictée, j'aurais pu au moins lui apporter mes résultats le jour même et non à la fin de la semaine" comme c'était l'usage...
A.R

«AH POUR SORTIR ET SE MONTRER, ELLE EST TOUJOURS LA PREMIÈRE, MAIS SI ELLE CROIT QUE C'EST ÇA LA VIE!»
C'est important pour moi de me sentir belle.
Elle veut être belle mais pas trop désirée...

Se centrer de préférence… sur ce qu'il n'a pas fait.

" **Tu** as vu dans quel état tu as laissé le four avec ton gâteau au yaourt ! C'est bien beau ces recettes de *Pomme d'Api*, mais "ils" devraient aussi préciser qu'il faut ranger la vaisselle après !"

" **Oui,** à l'école on vous apprend à mettre des préservatifs mais on ne vous dit rien sur ce qu'il faut faire quand l'autre vous quitte !"

" **Tu** me dis toujours que tu es bon en géographie et en histoire, mais c'est pas ça qui fera bouillir la marmite plus tard !"

" **Tu** as vu à quelle heure tu arrives et ne me dis pas qu'il y avait encore une panne de bus !"

" **Je** suis sûr que tu as encore oublié de t'essuyer les pieds…"

" **Ah** te voilà ! Tu es parti bien vite ce matin en oubliant de faire ton lit !"

" **Tu** as sûrement terminé tes devoirs, mais je suis certaine que tu ne t'es pas essuyé les pieds en arrivant !"

" **Tu** as mis la table, mais tu as encore oublié de te laver les mains avant !"

" Je faisais beaucoup, pour sortir d'une injonction qui empoisonnait mon existence. Je m'obligeais ainsi à descendre et à remonter trois étages d'escaliers le matin et le soir, pour faire la preuve que j'étais capable d'efforts. Puisque régulièrement il y avait sur mon carnet " est incapable de faire un effort…"

S.M

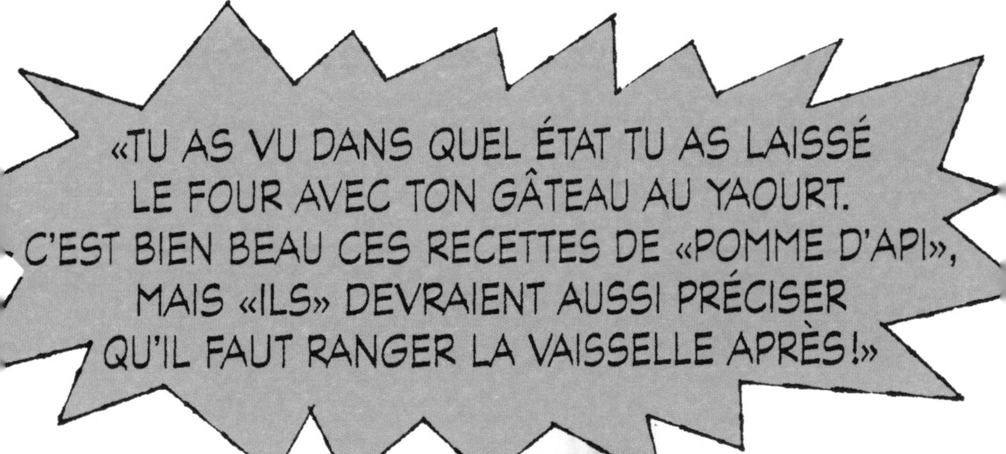

Je l'avais fait
avec amour,
mais maintenant
c'est comme
s'il n'avait plus
de saveur.

Ils ne voient pas tout le plaisir
qu'il avait à leur faire plaisir.

Croire que notre parole est toujours juste et qu'ainsi elle doit devenir vraie pour lui !

" **Crois**-moi, je sais ce que je dis, quand tu auras vécu ce que j'ai vécu, tu pourras peut-être parler, mais en attendant, tais-toi et écoute !"

" **Puisque** je te dis qu'elle ne t'aime pas, ça ne sert à rien d'insister !"

" **Passe** d'abord le bac, on verra après. Et arrête de toujours mettre la question des sorties sur le tapis !"

" **Si** tu m'avais écouté, tu ne serais pas là à pleurer !"

" **Tout** ce que je sais, c'est qu'un enfant doit obéir à ses parents, sans discuter, car eux ils savent ce qui est bon pour lui ! Non, mais !"

" **À** ton âge moi aussi je croyais que je changerais le monde et regarde autour de toi, c'est encore pire que de mon temps !"

" **Crois**-moi, des études littéraires, ça ne débouche sur rien. Ce n'est pas la peine de perdre son temps dans cette direction..."

" **Qu'est**-ce que je t'avais dit la dernière fois ? Te voilà bien avancé maintenant ! Tu vois où ça te mène de n'en faire qu'à ta tête !"

Mon père m'avait dit un jour : " de toute façon tu n'arriveras jamais à rien sans moi ". Je crois que j'ai été fidèle toute ma vie à cette injonction capitale !
O.W

«PUISQUE JE TE DIS QU'ELLE NE T'AIME PAS ; ÇA NE SERT A RIEN D'INSISTER !»
L'amour ne rend pas toujours aveugle.
Il me suffit de l'aimer moi !

Pratiquer l'interrogation intrusive.

" **Qu'est**-ce que tu as encore fait aujourd'hui, pour être dans cet état !"

" **Tu** as vu à quelle heure tu arrives. Où étais-tu passé, bon sang ?"

" **Tu** ne dis jamais rien, comment veux-tu que je ne sois pas inquiète !"

" **Un** enfant doit tout dire à ses parents et ne rien leur cacher !"

" **Dis**-moi à quoi tu penses ! Je suis sûr que tu as encore fait des bêtises avec ton copain. Oh celui-là, le jour où on l'enfermera ce sera une bonne chose de faite !"

" **Dis**-moi pourquoi tu emportes toujours ce cahier avec toi ? Je suis sûre que tu écris des choses que tu ne veux pas me dire ! Une mère doit tout savoir sur sa fille !"

" **Je** t'ai appelé trois fois hier soir, personne n'a répondu, où étais-tu encore passé ?"

" **Qui** c'est ce garçon avec qui je t'ai vue cet après-midi ? C'est ton nouveau petit ami ? Et ils font quoi ses parents ?"

Ma mère avait le sentiment qu'elle me donnait des preuves d'amour en se mêlant sans arrêt de ma vie. C'était sa façon à elle de me montrer combien elle m'aimait.
R.K

«TU AS VU A QUELLE HEURE TU ARRIVES ? OÙ ÉTAIS-TU PASSÉ, BON SANG ?»
Moi aussi il m'arrive d'oublier l'heure.
J'ai passé l'âge de rendre des comptes pour tout ce que je fais. Comment lui faire entendre que j'ai ramené ma copine qui m'a ramenée, que j'ai ramenée, et puis, que je suis enfin rentrée.

Rester dans le réactionnel. Eviter surtout d'écouter en soi ce que le comportement, la conduite ou les paroles de l'enfant déclenchent chez vous.

" **Ça** suffit comme ça maintenant, on ne répond pas de cette façon à son père ! "

" **Ce** que je vois, c'est que tu as encore cassé ton vélo et perdu une fois de plus ta pompe !"

" **Je** n'accepte pas que tu gâches ta vie en faisant de la musique. Tu ne trouves pas qu'il y a assez de bruit comme ça ! "

" **Je** m'énerve, je m'énerve oui, chaque fois que tu ne m'écoutes pas !"

" **Mais** qu'est-ce que j'ai fait au Bon Dieu pour avoir un enfant comme ça !"

" **Non**, mais tu as vu dans quel état est ta sœur ? Tu mériterais que je te morde aussi, tu verrais ce que c'est que d'être mordu !"

" **Pose** donc ce livre, on ne passe pas des soirées entières à lire..."

" **Tu** as encore oublié l'heure ! On ne se comporte pas comme ça quand on est un enfant bien élevé..."

" **Je** ne veux rien savoir ! File te coucher ! Et que ça saute !"

" **C'est** la dernière fois que tu me fais un coup pareil..."

Ma grand-mère répétait fréquemment à mes parents : " Si maintenant vous vous mettez à écouter vos enfants, jusqu'où irez-vous ? Vous n'avez pas fini d'en voir ! Y.N

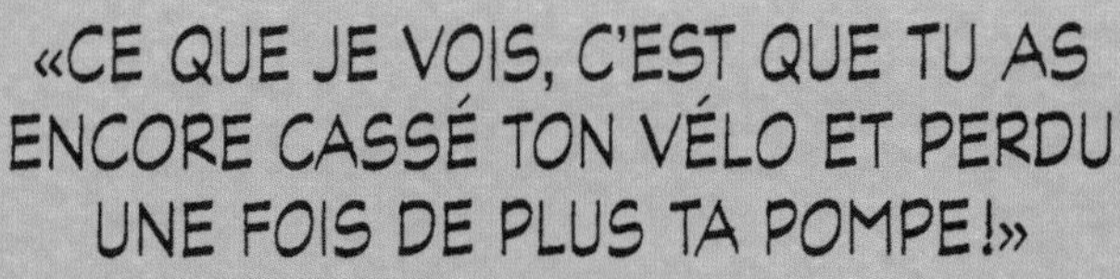
«CE QUE JE VOIS, C'EST QUE TU AS ENCORE CASSÉ TON VÉLO ET PERDU UNE FOIS DE PLUS TA POMPE!»

On pourrait la féliciter d'être vivante et d'être restée entière. Il faut être drôlement adroit pour ça!
Je voulais aller plus vite que mon désir.

Enfermer l'enfant dans une globalisation, un totalitarisme ou une généralisation abusive.

" **Un** enfant qui ment, c'est un menteur pour la vie!"

" **Tu** veux toujours avoir raison, on ne peut jamais discuter avec toi."

" **On** ne m'enlèvera pas de la tête qu'il a le vice chevillé au corps! Je ne sais pas de qui il tient !"

" **Tu** n'arriveras jamais à rien en lisant toute la journée et en plus en restant vautrée sur ton lit à rêvasser !"

" **Mais** qu'est-ce que tu peux manger salement, on dirait que tu as été élevé dans une porcherie !"

" **Décidément,** tu ne changeras donc jamais !"

Chez nous, il y avait quatre clans, les petits et les grands, les filles et les garçons. Nous étions identifiés successivement à l'un ou à l'autre de ces clans suivant les circonstances. À chacun des clans correspondaient des droits mais surtout des devoirs. Les demandes étaient très codifiées ainsi que les réponses. Un petit n'avait pas le droit de faire une demande de grand, et les filles se seraient bien gardées d'oser un comportement qui "appartenait de droit aux garçons"...

E.A

«TU N'ARRIVERAS JAMAIS A RIEN EN LISANT TOUTE LA JOURNÉE ET EN PLUS EN RESTANT VAUTRÉE SUR TON LIT A RÊVASSER!»
Des fois, elle me lit des histoires douces comme le miel.
Quand je lis, je voyage... Quand je voyage, je rêve... Quand je rêve, je me transforme...

Critiquer devant lui l'autre parent ou l'autre lignée familiale.

" **De** toute façon, dans la famille de ton père, ils jettent l'argent par la fenêtre. Le crédit, ils ne connaissent que ça !"

" **Il** a de qui tenir. Regarde ta mère avec son père, elle le traite de tout !"

" **Je** ne sais pas ce qui m'a pris d'épouser un type comme ça, un vrai mollusque. Ah, le bel exemple pour les enfants !"

" **Votre** père, de toute façon, dès qu'il voit un jupon passer, il ne reconnaît plus sa famille !"

" **Tu** veux vraiment ressembler à ta mère avec tous ses kilos en trop ? Elle ne sait même plus comment s'habiller, tu veux vraiment devenir comme elle ?"

" **Je** l'avais dit à votre père, mes pauvres enfants ! Jamais il n'aurait dû épousé votre mère avec la vie qu'elle avait avant ! "

" **Vous** êtes trop jeunes, mais vous le découvrirez bien un jour, dans la famille de votre père, ils ne savent pas ce que c'est que l'honneur !"

" **Tu** veux être comme ton père ! Pour lui il n'y a que ses amis qui comptent. La famille passe après ! Tu veux vraiment me rendre malheureuse comme il le fait sans arrêt ?"

" **Ah !** dans ta famille, pour être de beaux parleurs, ce sont de beaux parleurs, mais pour le reste..."

" **Mais** quel sale caractère, c'est son père tout craché !"

" **Mais** quel toupet alors! Je ne sais pas où tu as pris ça ! En tout cas pas avec moi ! Dans ma famille on n'est pas comme ça !"

" **Ah**, tu es bien une Dupont avec tes airs de sainte nitouche !"

" Pour mon père, la famille de ma mère l'avait montée contre lui dès le début. Pour lui, c'était "ses beaux-parents" qui étaient responsables des disputes permanentes qu'il y avait entre lui et sa femme. ***P.L***

«TU VEUX VRAIMENT RESSEMBLER A TON PÈRE! IL N'Y A QUE SES AMIS QUI COMPTENT. LA FAMILLE PASSE APRÈS! TU VEUX ME RENDRE MALHEUREUSE COMME IL LE FAIT SANS ARRÊT?»
Un vrai copain, on peut tout lui dire.
Avec mon copain c'est à la vie, à la mort.

Prêter à l'enfant des intentions malignes, négativantes.

" **Tu** ne m'enlèveras pas de l'esprit qu'il le fait exprès pour nous embêter !"

" **Je** suis sûr qu'il ne pense qu'à nous faire de la peine, c'est un ingrat !"

" **Mais** c'est pas possible, il a le diable chevillé au corps. Il n'y a rien de bon en lui !"

" **Quand** je le vois arriver et m'embrasser comme ça, je suis sûre qu'il a quelque chose à se faire pardonner !"

" **Je** ne peux jamais les laisser seuls ensemble plus de cinq minutes ! Il ne peut pas s'empêcher de lui faire du mal, il est sournois comme ce n'est pas possible !"

" **Il** veut rester à l'étude... je suis sûr que c'est pour montrer à son instituteur que son père est un incapable, que je ne peux pas l'aider à faire ses devoirs... Je suis sûr qu'il me prend pour un idiot !"

" **Il** ne veut jamais se couvrir pour sortir, c'est pour que je sois inquiète ! Il nous a encore fait une bronchite la semaine dernière !"

"**Tiens**, tu l'as voulue celle-là, depuis le temps que tu me cherches ! Au moins tu sauras pourquoi tu pleures !"

" **Tu** as bientôt fini de te moquer de nous avec tes grands airs !"

Oh comme elle est triste
Triste, triste notre enfance.
Jacques Prévert

«TU NE M'ENLÈVERAS PAS DE L'ESPRIT QU'IL LE FAIT EXPRÈS POUR NOUS EMBÊTER!»
Je cherche surtout à être bien.
Moi, je crois qu'il veut qu'on le laisse tranquille.

Croire en la toute-puissance de la volonté, de la pensée, du rationnel et du logique.

" **Si** elle le voulait, elle y arriverait bien ! C'est quand même pas compliqué d'apprendre ses leçons !"

" **Si** tu le voulais, tu pourrais faire mieux. Avec un peu de bonne volonté on arrive à tout dans la vie ! On ne te demande pas grand-chose quand même !"

" **Celui** qui veut, peut. Regarde ton père, il est parti de rien, lui ! Et tu as vu la situation qu'il a aujourd'hui !"

" **De** toute façon sans volonté, on n'arrive à rien ! Il faut savoir ce que l'on veut dans le monde d'aujourd'hui, pour ne pas se laisser avoir..."

" **Si** tu faisais un petit effort, un tout petit effort de volonté, hein! Tu pourrais être plus gentil avec ta sœur !"

" **Ça** ne coûte pas beaucoup de se montrer aimable de temps en temps ! Je ne te demande pas d'aimer tout le monde, mais d'être un peu plus courtois avec nos voisins ! C'est pas difficile, ça, quand même !"

" **Réfléchis** un peu avant de dire des idioties !"

C'est la Volonté qui devait me tirer par les pieds pour me lever le matin. J'imaginais un petit gnome qui devait me rappeler que je devais me lever. Un jour j'ai crié tout heureux à mon père : " Papa, papa, la Volonté n'est pas venue ce matin, elle a oublié de se réveiller." J'ai reçu une gifle.
U.J

«SI TU LE VOULAIS, TU POURRAIS FAIRE MIEUX. AVEC UN PEU DE BONNE VOLONTÉ ON ARRIVE A TOUT DANS LA VIE!»
Ils croient toujours que c'est une question de volonté... mais c'est surtout une question de créativité.
Je me remplis de toutes les erreurs et de tous les tâtonnements.

Tenter de culpabiliser chaque fois que c'est possible (et c'est toujours possible !).

" **Regarde** dans quel état est ta mère ; tu crois que c'est une vie pour elle, de te voir comme ça !"

" **Tu** vas me faire mourir de honte, si tu continues à voler et à mentir !"

" **Si** tu nous aimais vraiment, tu aurais fait un effort pour ne pas nous faire de la peine !"

" **On** se saigne aux quatre veines pour payer tes études et regarde comme tu nous remercies...!"

" **Mais** si tu avais un peu de cœur, tu aurais réussi ton examen ! Tu sais combien ton père y tenait..."

" **Si** tu m'aimais vraiment, tu n'irais pas perdre ton temps à faire du ski ! Tu n'es pas bien avec moi ?"

" **Avec** tous les sacrifices que j'ai fait pour t'élever seule, tu pourrais faire un petit effort pour me donner un coup de main..."

"**Tu** m'as déçu, après tout ce qu'on a fait pour toi, on va avoir l'air de quoi ? Je n'aurais jamais cru ça de toi !"

Mes parents étaient persuadés que s'ils me rendaient responsable de leur souffrance, j'aurais un sursaut d'orgueil et que je changerais mes comportements... Ils ne savaient pas combien ils m'infantilisaient avec cela.

A.R

«ON SE SAIGNE AUX QUATRE VEINES POUR PAYER TES ÉTUDES ET REGARDE COMME TU NOUS REMERCIES!...»
J'ai le sentiment que je ne reçois rien puisque je dois rendre en étant gentil, serviable, poli, attentionné, inodore et sans saveur...
Déposer des plaintes, en rendre l'autre coupable pour se sentir mieux... est-ce vraiment indispensable?

Disqualifier les réussites et les exploits.

" **D'accord**, d'accord on t'a sélectionné, mais il ne faut pas t'y croire ! Tu verras sur le terrain, ils vont vite se rendre compte qu'ils ont fait une erreur avec toi. S'ils te connaissaient comme je te connais, jamais ils ne t'auraient choisi !"

" **Si** tu crois que je n'ai que cela à faire, moi, te regarder faire du vélo sans tenir le guidon !"

" **Tu** n'es ni le premier, ni le dernier à traverser la piscine la tête sous l'eau, tu ferais mieux d'apprendre à manger correctement !"

" **D'accord**, d'accord tu as eu un 10 aujourd'hui mais les deux zéros de la semaine dernière, les as-tu oubliés? Pas moi !"

" **À** t'en croire, il n'y a que toi qui sais marquer les buts sur le terrain de foot..."

" **Ce** n'est pas le résultat qui compte ! Tout le monde peut un jour terminer premier...! Mais la régularité dans le résultat, l'effort suivi, la constance. Et là, tu vois, t'es vraiment nul... "

" **Bon**, tu as réussi ton bac avec mention, mais c'est en maths que tu aurais dû avoir la meilleure note !"

Pour ma mère, la modestie était la première des vertus. Ne jamais se targuer de ce que l'on avait fait de positif ou d'exceptionnel. Dieu l'avait vu, il s'en rappellerait le moment venu, cela suffisait...
L.V

«TU N'ES NI LE PREMIER, NI LE DERNIER A TRAVERSER UNE PISCINE LA TÊTE SOUS L'EAU, TU FERAIS MIEUX D'APPRENDRE A MANGER CORRECTEMENT !»

Céder pour avoir la paix.

" **Bon,** c'est d'accord, je te donne ton argent de poche avec une semaine d'avance, mais ne viens pas me dire dans quelques jours que tu as encore besoin d'argent !"

" **Tu** as déjà eu deux boules de crème glacée ! Bon, c'est la dernière, mais ce n'est pas la peine d'insister à nouveau ! Tu sais bien que je ne peux rien te refuser !"

" **Je** ne te demande plus rien, je préfère ranger ta chambre moi-même, ça me demande moins de temps et d'efforts..."

" **De** toute façon tu as toujours raison, tu finis toujours par obtenir ce que tu veux !"

" **Je** ne peux quand même pas lui refuser de sortir ? Aujourd'hui, de toute façon, les parents laissent tout faire à leurs enfants !"

" **Il** faut toujours lui donner raison, sinon il va nous gâcher les vacances, quand on n'est pas d'accord avec lui !"

" **Passons** pour cette fois, mais ne compte pas sur moi pour t'aider la prochaine fois... "

Tout accepter, tout supporter, plutôt que d'avoir un conflit. "Se disputer n'est pas bon pour la santé ! " disait souvent mon père.
A.L

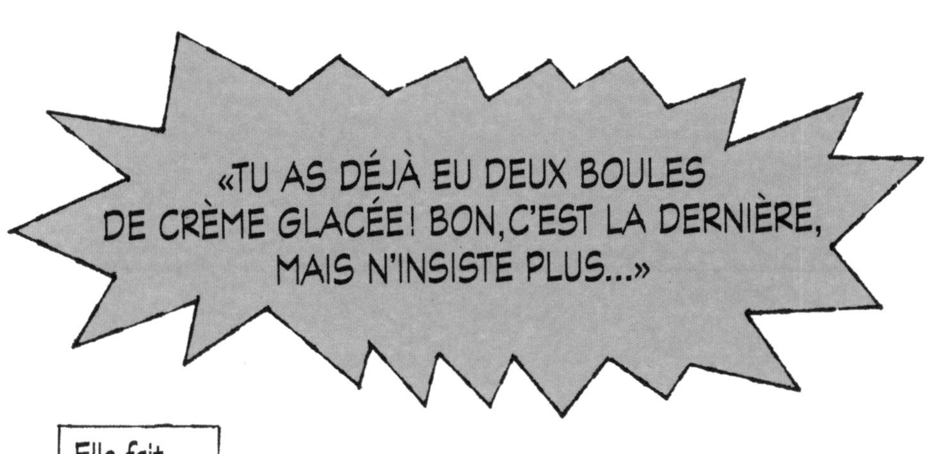
«TU AS DÉJÀ EU DEUX BOULES
DE CRÈME GLACÉE! BON, C'EST LA DERNIÈRE,
MAIS N'INSISTE PLUS...»

Elle fait pas encore le poids... pour me refuser quelque chose.
Elles jouent entre elles à celle qui fera le poids...

Amplifier la plainte, les risques à venir.

" **Tu** vas me rendre folle avec ces idées, tu n'y penses pas, non ! "

" **Et** si tu te tues, tu crois que cela me fera plaisir à moi !"

" **Quand** tu seras paralysé, tu verras ce que c'est que de faire l'idiot toute la journée dans son lit."

" **Si** tu continues comme ça, tu seras renvoyé, tu seras bien content après !"

" **De** toute façon, personne ne me comprend dans cette maison, je suis la bonne à tout faire de chacun !"

" **Quand** on est jeune, on croit que tout est simple... On ne pense jamais aux difficultés et à tout ce qui peut arriver !"

" **Ça** va être dur pour moi de rester toute seule au mois d'août quand les voisins seront partis en vacances et qu'il n'y aura personne dans le quartier... "

" **Cette** fois tu exagères ! Tu as vu tes notes ? Qu'est-ce qu'on va faire de toi si ça continue comme ça !"

La vie n'était qu'un champ de bataille, une jungle pleine de dangers. L'idéal aurait été de ne pas s'aventurer dans la vie, de ne faire aucun pas dedans!
S.N

ET SI TU TE TUES,... TU CROIS QUE JE VAIS LE SUPPORTER MOI ? ...
Je ne suis pas en train de me tuer... mais de vivre intensément.
Avec moi elle ose plein de trucs pour se prouver qu'elle est vivante.

Brandir la répression imaginaire.

" **Tu** crois qu'il te fera confiance après ça, si tu lui dis ce que tu penses réellement ! "

" **Tu** n'es pas fou ! Dire cela à ton père, il ne le supportera pas, il va te tuer !"

" **Tu** finiras clochard, oui, voilà comment tu finiras ta vie ! Tu ne termines jamais rien, tu changes d'idée toutes les cinq minutes !"

" **J'en** ai connu des plus malins que toi ! Et tu sais comment ils ont fini... en prison !"

" **Tu** resteras célibataire toute ta vie... Avec le caractère que tu as, personne ne voudra de toi !"

" **Avec** toutes tes idées sur la liberté, je suis certaine que tu n'auras jamais d'amies. La solitude pour compagne voilà ce que tu auras... "

" **Tu** ne vas pas partir à l'autre bout de la France pour finir tes études ? Tu n'y penses pas sérieusement, j'espère ! Je ne m'y ferais jamais d'être si loin de toi... "

Penser à la place de l'autre, prévoir ce qui lui ferait de la peine, anticiper tous les risques d'un échange, cela occupe la vie à temps plein !
B.S

«TU N'ES PAS FOLLE ! DIRE CELA A TON PÈRE, IL NE LE SUPPORTERA PAS, IL VA TE TUER !»
J'ai quand même le droit d'aimer un garçon plus âgé que moi...
Peut-être qu'elle ne va plus m'aimer si elle aime un garçon même plus âgé que moi !

Pratiquer le "fais comme tu veux !" avec un grand air de dédain de préférence. Si vous ajoutez un zeste de scepticisme, c'est encore mieux !

" **Puisque** tu ne veux rien entendre, fais ce que tu veux ! Déjà quand tu étais petit je ne savais pas comment m'y prendre avec toi !"

" **Moi** de toute façon, je m'en fous. Il arrivera ce qui arrivera !"

" **Je** t'ai dit ce que j'avais à dire, maintenant si tu ne veux pas m'écouter, fais ce que tu veux !"

" **Avec** toi, ça ne sert à rien de discuter, il faut toujours faire ce que tu veux, alors moi je te le dis : " Fais ce que tu veux !"

" **Que** je dise blanc ou que je dise noir c'est du pareil au même, c'est toujours toi qui en fais à ta tête ! Alors débrouille-toi, fais comme tu veux, après tout je me fiche de tout ce qui peut t'arriver..."

Je sentais bien qu'en me disant " Fais ce que tu veux", mon père m'envoyait un message erroné. Tout son corps se fermait et j'entendais cette phrase comme un signe de rejet, je me sentais encore plus impuissant.

T.H

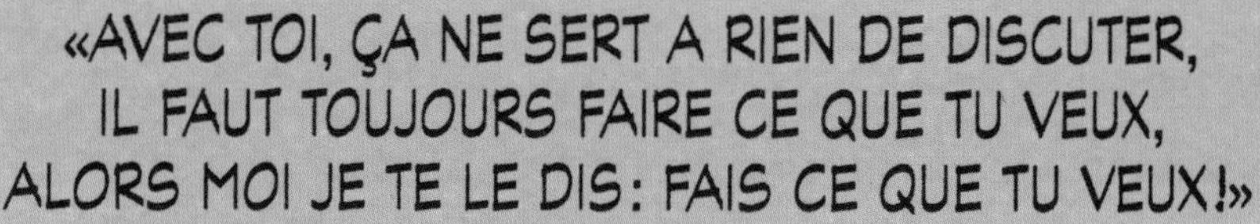
«AVEC TOI, ÇA NE SERT A RIEN DE DISCUTER,
IL FAUT TOUJOURS FAIRE CE QUE TU VEUX,
ALORS MOI JE TE LE DIS : FAIS CE QUE TU VEUX!»

J'ai besoin de vous contredire pour vérifier la solidité de ma décision.
S'entendre ça ne veut pas dire se mettre d'accord, ça veut dire s'écouter.

Se dévaloriser faussement ou avec sincérité.

" **De** toute façon, tu ne m'écoutes jamais ! "

" **Si** ton père était là, tu verrais comme il se ferait obéir, lui !"

" **Je** ne suis que la bonne, une poire, oui ! Quand on a besoin de quelque chose on sait venir me trouver !"

" **Vous** avez eu la chance de faire des études. Moi j'ai travaillé dès l'âge de douze ans. Je sais que je n'ai aucune instruction, que je compte pour du beurre !"

" **Je** sais à peine lire, tout le monde en profite pour me faire signer n'importe quoi, tu crois que je suis aveugle !"

" **Je** ne veux pas que tu aies honte de ton père, je préfère ne pas aller avec vous à la remise des prix. Vous faites bien de me cacher, je ne suis pas présentable..."

" **Oh** moi, bien sûr je ne suis que secrétaire ! Ton père, lui, avec la situation qu'il a, tu peux l'admirer et lui obéir !"

" **Continuez** à discuter, je ne vais pas vous déranger, vous êtes déja assez nombreux comme ça !"

J'ai beaucoup souffert de la façon dont ma mère se dévalorisait. Car en me disant autant de mal d'elle, c'était moi qui me sentais vraiment un incapable d'être le fils de quelqu'un d'aussi moche !
B.G

Terribles! les olé, les grabs, les catch, les impossible flips en switch stand et les nose bones! Ah! et les opposites, les blunts, les rockslides, les 180, les 360 et les autres...
Il y a des pères qui sont fiers de la témérité de leur fils!
«SI TON PÈRE ÉTAIT LÀ, TU VERRAIS IL SE FERAIT OBÉIR LUI!»

Confondre sentiment et relation. Chaque fois qu'il y a un conflit, se replier ou s'abriter derrière les sentiments.

" **Mais** je vous aime, vous le savez bien, qu'est-ce que je ferais sans vous !"

" **Personne** ne pourra dire qu'il a aimé ses enfants plus que moi. Je préférerais mourir plutôt que de vous voir prendre de la drogue. "

" **J'aimerais** que tu prennes enfin ta douche ! Que tu arrêtes cette télé débile ! Que tu fasses quand même tes devoirs au moins pour l'amour de moi..."

" **D'ailleurs** si tu avais un peu d'affection pour moi, je n'aurais pas eu besoin de me fâcher contre toi !"

" **C'est** parce que je vous ai aimé que j'ai accepté de rester avec votre père qui buvait et qui me tapait, sinon, il y a longtemps que je serais partie... "

" **Si** tu m'aimais vraiment, je n'aurais même pas besoin de te supplier de m'accompagner chez ta grand-mère..."

" **C'est** parce que je t'aime que je te punis aussi sévèrement. Si je te laissais tout faire, tu pourrais croire que je ne tiens pas à toi !"

" **Excuse**-moi, je ne pensais pas vraiment ce que je t'ai dit hier au soir. Tu m'aimes encore ? "

Chaque fois que j'entendais "j'aimerais que ", j'imaginais que j'aurais un peu plus d'amour de mes parents. Je voyais comme un morceau d'amour supplémentaire brandi au-dessus de mon cœur. Cette phrase me laissait croire que je serais plus aimé si je faisais... comme ils demandaient!
O.L

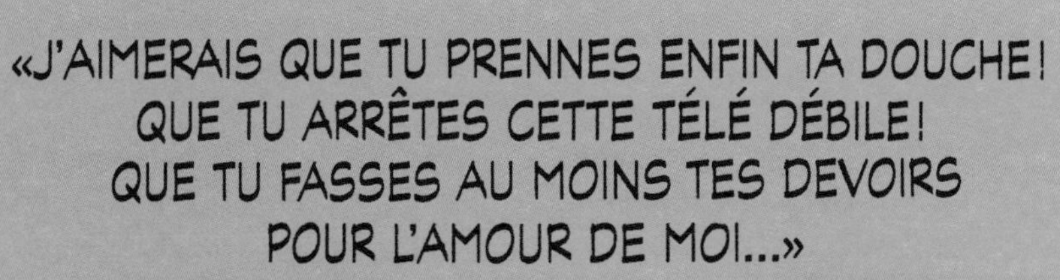
«J'AIMERAIS QUE TU PRENNES ENFIN TA DOUCHE! QUE TU ARRÊTES CETTE TÉLÉ DÉBILE! QUE TU FASSES AU MOINS TES DEVOIRS POUR L'AMOUR DE MOI...»

Moi, je ne mélange pas sentiments et relation.
Heureusement que je sais qu'elle m'aime, sinon je finirais par la haïr!

Relever sans cesse ce que l'autre devrait faire, n'a pas fait, a dit ou n'a pas dit.

" **Tu** aurais dû y penser avant ! Quand on n'a pas de tête, il faut avoir des jambes !"

" **Tu** devrais déjà être prête à partir, tu vas encore être en retard, comme chaque fois !"

" **Tu** as encore oublié le café, je t'avais pourtant bien dit qu'il n'en restait plus !"

" **Tu** n'aurais pas dû dire cela à ta grand-mère, elle est trop âgée pour entendre des choses pareilles !"

" **Si** tu disais oui pour une fois ! On n'aurait pas besoin d'inventer des mensonges avec tes cousins..."

" **Tu** as encore oublié l'heure, qu'est-ce que je vais pouvoir trouver pour expliquer ton retard... je commence à manquer d'imagination."

" **Tu** ne penses jamais à rien ! Tu as encore oublié d'attendre ta sœur à la sortie de l'école !"

" **Tu** aurais mieux fait de m'acheter quelque chose d'utile plutôt que des fleurs, tu sais bien que je n'aime pas les roses !"

J'essayais d'anticiper à l'avance ce que je n'avais pas encore fait, pour essayer de les mettre en défaut. J'échouais à tous les coups, il y avait toujours quelque chose que... j'avais oublié.
J.S

«TU AS ENCORE OUBLIÉ LE CAFÉ, JE T'AVAIS POURTANT BIEN DIT QU'IL N'EN RESTAIT PLUS !»
Je l'ai pas oublié, je l'ai laissé au magasin... Tu dis toujours que ton estomac le supporte mal !
Il avait même pensé aux fleurs !

Imposer une fausse image de soi, (se dévaloriser ou se vanter !).

" **Tu** trouves que je ne suis pas intéressante, qu'on ne peut pas discuter avec moi, parce que je n'ai pas fait d'études comme toi !"

" **Tu** penses peut-être que je ne comprends rien, parce que je viens de la campagne et que j'ai fait des ménages toute ma vie..."

" **Oh**, je sais bien que tu me crois folle ! Mais un jour ce sera vrai !"

" **J'ai** toujours été trop bonne avec vous, alors vous en profitez!"

" **Pendant** vingt ans, pour vous élever j'ai sacrifié ma vie de femme et votre père en a bien profité, lui..."

" **J'ai** toujours été là quand vous aviez besoin de moi, vous saviez où me trouver, hein !"

" **Évidemment,** ça ne sera pas aussi bien dit que toi !"

" **Tu** vas voir, je vais aller le trouver, moi, ce professeur et lui dire ce que je pense de ses méthodes !"

" **On** me prend vraiment pour une idiote dans cette maison..."

À force de nous dire : " moi quand j'avais votre âge, j'étais ceci ou je faisais cela ", mon père n'était plus crédible. J'avais même un peu de pitié pour lui quand il évoquait son enfance qu'il présentait comme si extraordinaire... et que je voyais comme si dérisoire.
M.L

«TU TROUVES QUE JE NE SUIS PAS INTÉRESSANTE, QU'ON NE PEUT PAS DISCUTER AVEC MOI, PARCE QUE JE N'AI PAS FAIT D'ÉTUDES COMME TOI!»
Maman, je te trouve super, mais parfois trop dévalorisée... par mes études!
Moi je trouve sa mère très très intéressante. Surtout quand elle m'apporte mon bol de lait!

Faire pression par tous les moyens pour faire entrer l'enfant dans votre désir.

" **Tu** ne vas pas arrêter les leçons de piano, maintenant que j'ai fini de payer la dernière traite, avec tous les intérêts qu'on a dû verser ce serait dommage !"

" **Si** tu avais un peu de cœur, tu ne rentrerais pas si tard !"

" **Tu** pourrais quand même me donner un coup de main ! Tu es l'aînée, ce n'est pas à moi de tout faire dans cette maison."

"**Si** tu n'étais pas égoïste, tu laisserais ta chambre à ton frère, il a besoin de calme lui pour travailler !"

" **Tu** devrais aimer faire de la danse, je ne veux pas qu'un jour tu me reproches de t'avoir permis d'arrêter."

" **Moi** j'ai rien à te dire, mais ce copain n'est pas quelqu'un pour toi, tu devrais arrêter de le fréquenter..."

À un moment ou à un autre, un enfant doit dégager sa propre vie en fonction de ses désirs et de ses capacités et non se contenter ou s'épuiser à reproduire ceux de ses parents, même s'ils sont admirables.
Caroline Eliacheff

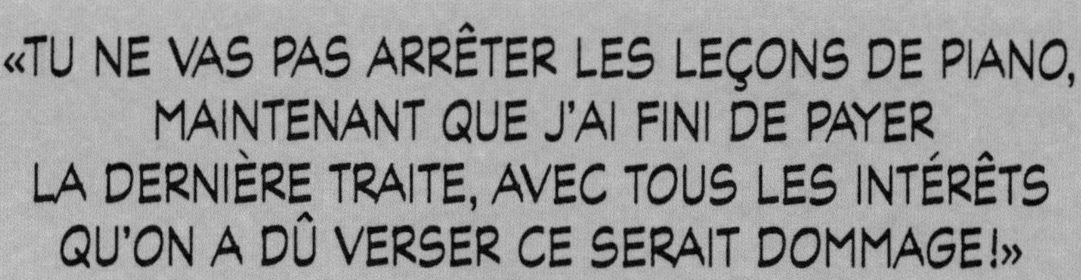
«TU NE VAS PAS ARRÊTER LES LEÇONS DE PIANO, MAINTENANT QUE J'AI FINI DE PAYER LA DERNIÈRE TRAITE, AVEC TOUS LES INTÉRÊTS QU'ON A DÛ VERSER CE SERAIT DOMMAGE!»

Le piano ça me fait rêver à un champ de coquelicots.
Je veux pas arrêter le piano ! Je veux arrêter de m'ennuyer aux leçons de piano!

Dicter les sentiments, les ressentis, les comportements et les paroles.

" **Tu** devrais remercier ton oncle, pour tout ce qu'il a fait pour toi et en plus te montrer gentil avec lui."

" **Tu** ne vas quand même pas partir sans leur dire au revoir !"

" **Tu** devrais aimer ta sœur, même si elle est un peu brusque avec toi, c'est son âge qui veut ça !"

" **À** ton âge, moi, je ne craignais pas de faire deux kilomètres à pied pour aller à l'école, aujourd'hui, il faut tout vous offrir, même un car chauffé !"

" **Si** tu étais gentil, tu irais t'excuser de lui avoir fait de la peine avec ta remarque ridicule !"

"**Tu** devrais aimer jouer avec Annie, c'est quand même la fille de ma meilleure amie..."

" **Tu** ne vas pas aller chez ta tante dans cette tenue, qu'est-ce qu'elle va penser de nous ?"

Je croyais qu'en obéissant aveuglément à maman, ma petite sœur guérirait et que le Bon Dieu aurait pitié d'elle. Alors je faisais tout ce qu'elle me demandait avec une vélocité qui surprenait même ses désirs.
E.F

«TU NE VAS QUAND MÊME PAS PARTIR SANS LEUR DIRE AU REVOIR!»
Il n'est pas en représentation lui!
Je m'éclipse, car j'ai l'impression que pour eux je n'existe pas.

Utiliser la comparaison directe ou indirecte.

" **Regarde,** ton frère ! Lui, il n'a pas besoin qu'on lui dise trois fois la même chose !"

" **Si** tu étais aussi attentif qu'Éric, cela ne t'arriverait pas !"

" **À** ton âge, je travaillais déjà 8 heures par jour, sans être payé en plus !"

" **Il** y en a qui savent être reconnaissants, eux, quand on leur fait plaisir !"

" **Quelqu'un** qui a du caractère ne se laisse pas faire comme tu l'as fait."

" **Si** ton père vivait encore, tu ne serais pas sortie comme ça avec des voyous..."

" **Si** ta sœur avait vécu, jamais je n'aurais eu un deuxième enfant. Tu peux la remercier d'être morte si jeune..."

" **Ton** frère, lui, il sait qu'il est trop petit pour partir en vacances sans nous. Mais toi tu ne veux rien savoir, tu te crois plus grand que lui !"

" **Tu** as vu ton cousin, c'est lui qui tond la pelouse tous les samedis ! Ils savent s'entraider dans cette famille, c'est pas comme nous..."

" **Pense** donc à plus malheureux que toi au lieu de te plaindre sans arrêt..."

" **Il** y en a d'autres qui sauront un jour apprécier ce qu'on a fait pour eux... "

Dans ma famille nous avions besoin de modèles, ainsi ma mère trouvait toujours quelqu'un à qui nous comparer. Il était important pour elle qu'elle puisse nous mesurer ainsi à quelque chose de stable. Ainsi elle n'hésitait pas à nous comparer à des animaux, à des étoiles et même à des personnages historiques aussi fabuleux que sainte cunégonde ! ***F.D***

«REGARDE TON FRÈRE ! LUI, IL N'A PAS BESOIN QU'ON LUI DISE TROIS FOIS LA MÊME CHOSE !»
Je comprends pourquoi ma sœur me déteste... d'être toujours comparée à moi !
Il y a si peu de différence entre repasser et se reposer.

Dramatiser le plus souvent possible.

" **Mais** c'est pas possible ! Qu'est-ce que j'ai fait au Bon Dieu pour avoir un enfant comme ça !"

" **Et** si tu n'avais pas réussi à éteindre le feu, hein ! C'est toute la maison qui aurait brûlé, on aurait été à la rue !"

" **Si** je n'étais pas revenue à temps, c'est tout le quartier qui aurait été inondé avec ta baignoire transformée en piscine !"

" **Adroit** comme tu es, chaque fois que tu pars, j'imagine toujours qu'une ambulance va te ramener à la maison en mille morceaux !"

" **Un** jour tu iras trop loin et tu verras ce qui arrivera !"

" **On** croit bien faire en leur faisant confiance et puis regardez ce qui aurait pu arriver... "

" **Si** tu attrapes une saloperie comme le sida, tu seras contente, hein ! Toi alors avec ton indépendance, mais tu ne gagnes même pas de quoi t'habiller correctement..."

Le moindre incident familial se transformait en épisode de tragédie antique. C'est le monde entier qui était mis en péril par un robinet mal fermé, une fenêtre ouverte ou une porte qui claquait.
S.F

«MAIS C'EST PAS POSSIBLE ! QU'EST-CE QUE J'AI FAIT AU BON DIEU POUR AVOIR DES ENFANTS COMME ÇA !»
Ils sont heureux comme des poissons dans l'eau.
Pour une fois que c'est lui qui prend la douche !

S'arranger pour faire prendre par l'enfant la décision que l'on n'arrive pas à prendre soi-même.

" À ton âge, un enfant dort tout seul dans son lit, tu devrais comprendre cela, je ne peux pas toujours dormir avec toi quand même, tu es grand, tu devrais faire un petit effort !"

" **Si** tu étais raisonnable, tu comprendrais que je ne peux te garder. D'ailleurs tes grands-parents t'aiment bien, tu le sais, alors tu devrais accepter d'aller chez eux, sans faire d'histoire."

" **Si** tu ne veux pas m'écouter, tu n'as qu'à partir de la maison !"

" **Moi,** j'attends que tu me dises ce que je dois faire pour te comprendre..."

" **Tu** pourrais faire un effort quand même et terminer ce qu'il y a dans ton assiette sans faire d'histoires, autrement tu vas encore énerver ta mère !"

" **Tu** profites de la situation, ce n'est pas un hôtel ici, tu devrais comprendre qu'il faut mettre un peu la main à la pâte..."

Mon mari se sent tellement coupable depuis notre divorce, qu'il n'arrive pas à imposer une exigence ou même faire une demande claire à notre fille. Quand elle séjourne chez lui, il lui demande le plus souvent de comprendre, d'être raisonnable, en fait il veut lui faire prendre, à elle, la décision qu'il ne peut lui imposer lui-même !
N.S

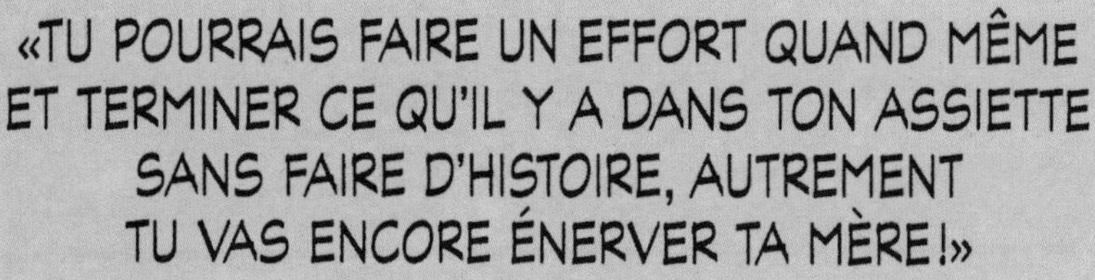
«TU POURRAIS FAIRE UN EFFORT QUAND MÊME ET TERMINER CE QU'IL Y A DANS TON ASSIETTE SANS FAIRE D'HISTOIRE, AUTREMENT TU VAS ENCORE ÉNERVER TA MÈRE!»

Manger, manger, il n'y a que ça qui compte pour eux. Et rêver alors!
C'est vrai qu'elle a mis beaucoup d'amour dans son assiette.

Cacher les faits ou éviter de mettre des mots sur un événement qui concerne l'enfant directement.

" **C'est** pour ne pas te faire de la peine qu'on ne t'a pas dit tout de suite que ta grand-mère était morte. On a cru bien faire, nous !"

" **D'abord** tu étais trop petit pour comprendre. Je ne pouvais pas te dire que ton père était en prison, tu aurais eu honte de nous !"

" **On** ne peut pas tout dire aux enfants, ils ne comprennent pas toujours..."

" **J'ai** préféré garder tout pour moi. Comme ça on ne pourra pas dire que je vous ai fait de la peine en vous disant que votre mère m'avait quitté pour un gigolo de vingt ans plus jeune qu'elle !"

" **À** l'époque on ne parlait pas de tout ça. Moi, ma mère ne m'avait rien dit pour les règles. J'ai découvert ça toute seule et je n'en suis pas morte pour autant !"

" **On** ne voulait pas te dire qu'on allait une fois de plus déménager. Alors on a attendu que tu sois parti en vacances. On croyait que c'était mieux de te le cacher, pour ne pas te faire de la peine !"

" **Tu** venais juste de sortir de l'hôpital, on ne pouvait pas te dire que ton chat s'était fait écraser..."

" **Arrête** de me poser des questions ridicules, de toute façon tu es trop petit pour comprendre, je t'expliquerai plus tard..."

Il y avait deux immenses secrets de famille dans notre histoire familiale, qui occupaient tout l'espace de notre imaginaire.
La mort de mon frère aîné, qui s'était suicidé à 14 ans. La thèse officielle était celle d'un accident. J'avais trois ans à l'époque et je faisais régulièrement des cauchemars de pendaison. Et puis le fait que le frère de ma mère, mon oncle Paul était mort en hôpital psychiatrique. La peur de la folie circulait sans cesse dans les échanges entre mon père et ma mère... Pendant des années j'ai cru que je n'étais pas normale !

D.M

«ON NE VOULAIT PAS VOUS DIRE QU'ON ALLAIT UNE FOIS DE PLUS DÉMÉNAGER... ALORS ON A ATTENDU QUE VOUS SOYEZ PARTIS EN VACANCES. ON CROYAIT QUE C'ÉTAIT MIEUX DE VOUS LE CACHER POUR NE PAS VOUS FAIRE DE LA PEINE!»
Déménager c'est un déracinement, c'est comme si vous plantiez un arbre dans un jardin inconnu.
J'ai même pas pu dire au revoir aux copains. Ils vont penser que je ne tenais pas à eux.

Nier ses propres sentiments.

" **De** toute façon je m'en fous..."

" **Si** tu crois me faire de la peine, tu te trompes !"

" **Ça** me soulage qu'elle soit morte, je détestais ma mère, elle ne comptait plus pour moi..."

" **Je** détestais cet homme. J'avais honte d'être sa fille. J'ai jamais compris pourquoi ma mère était restée toute sa vie avec un alcoolique comme lui ! Elle aussi je la déteste..."

" **Ça** ne sert à rien de continuer à aimer quelqu'un qui est parti pour une autre. Quand mon père a divorcé d'avec ma mère, je l'ai rayé de ma vie....."

" **Si** tu veux partir faire tes études à Paris, vas y, c'est ton choix, je ne suis pas inquiète tu sais.... mais tu verras quand je ne serais plus là !"

" **Tu** ne vas pas m'impressionner avec tes grands airs, j'en ai vu d'autres !"

Dans ma famille, les sentiments se situaient quelque part, à peine au-dessus de la ceinture, c'était quelque chose d'obscène qu'il fallait cacher et de préférence ne pas avoir.
C.S

«DE TOUTE FAÇON JE M'EN FOUS...»
«SI TU CROIS ME FAIRE DE LA PEINE,
TU TE TROMPES !»

Si un jour ils osaient dire leurs sentiments réels, je ne serais pas aussi en difficulté pour reconnaître les miens.

Amalgamer les différentes manières d'être parent et ne pas savoir différencier entre un géniteur, un papa et un père, entre une génitrice, une maman et une mère.

" **Son** père m'a abandonnée quand j'étais enceinte de lui !"

" **Depuis** que nous avons divorcé, son père joue au papa gâteau avec lui, il lui passe tout, il n'a pas compris que son fils avait plus que jamais besoin d'un père. Alors tout me retombe dessus et je n'ai plus le temps d'être une maman, je me sens obligée d'être sans arrêt une mère qui interdit, qui menace, qui punit, je me déteste, je ne me supporte plus."

" **J'aimerais** qu'il soit plus affectueux avec elle, ils se disputent sans arrêt. Quand elle était petite, il la prenait souvent sur ses genoux."

" **Je** suis obligée de prendre sur moi tous les rôles. De toute façon mon mari n'a jamais rien compris aux enfants..."

"**À** table, c'est toujours moi qui intervient. Elle les laisse tout faire. Un jour ils lui mangeront la soupe sur la tête, mais ce sera trop tard..."

" **Son** père ne s'est jamais occupé de lui, il est parti quand il avait trois mois... On s'étonnera après ça qu'il n'obéisse à personne !"

Souvent on fait la confusion entre père et géniteur. Il faut trois secondes à l'homme pour être géniteur. Être père, c'est une tout autre aventure.
Françoise Dolto

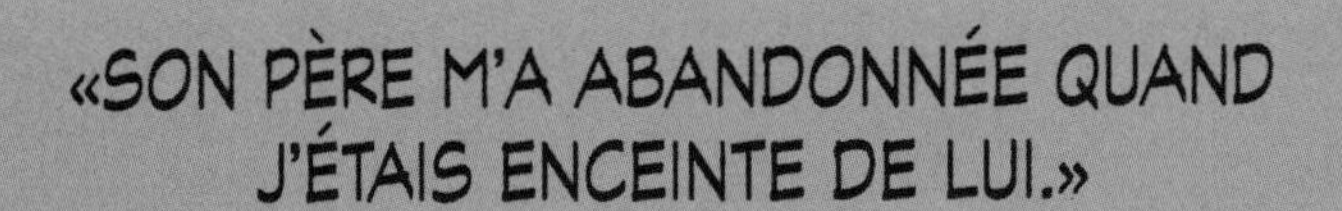
«SON PÈRE M'A ABANDONNÉE QUAND J'ÉTAIS ENCEINTE DE LUI.»

Je me ferai au moins reconnaître un jour en devenant célèbre...
Ça ne sert à rien qu'elle lui parle de son père défaillant, elle pourrait au moins parler du géniteur qui lui a donné la vie!

Pratiquer le rejet et l'anathème définitif et sans appel. (Pour bien montrer qu'on ne se laisse pas faire !).

" **Je** ne veux plus te voir dans cet état-là !"

" **Si** tu continues à fréquenter ce garçon, tu n'es plus ma fille !"

" **Je** ne veux plus avoir à faire quoi que ce soit avec toi, si tu ne changes pas !"

" **Je** t'interdis à jamais de me parler comme cela ! Si tu n'es pas contente tu prends la porte et c'est fini entre nous."

" **Si** ma fille me ramène un polichinelle dans le tiroir, c'est la porte et sans discussion !"

" **Avec** les enfants, il faut toujours se méfier, on ne sait jamais ce qui peut leur passer par la tête !"

" **Si** on leur fait confiance, ça nous retombe toujours dessus..."

" **Je** t'interdis de me parler de ton père ! Quand on a fait ce qu'il a fait... Tu entends, je ne veux plus, sinon tu n'es plus mon fils. Tu pars avec lui et je ne te reverrai jamais..."

" **Si** tu n'es pas contente, c'est bien simple, tu n'as qu'à prendre la porte..."

Maman aimait lancer des anathèmes terribles dès qu'elle était déçue de nos résultats ou de nos comportements. Ainsi elle s'écria un jour : " Que le ciel vous tombe sur la tête, autant de fois que vous avez menti dans votre vie..." Alors pendant quelques jours nous marchions le long des murs, le nez levé guettant cette catastrophe annoncée, nous abritant sous les porches, évitant prudemment de nous aventurer dans des espaces à ciel ouvert.

S.M

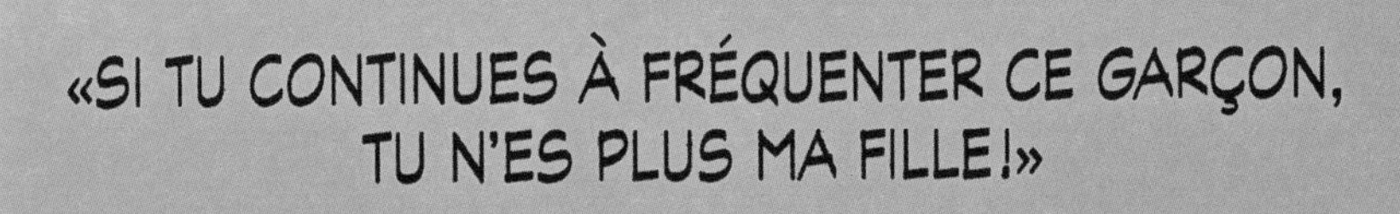
«SI TU CONTINUES À FRÉQUENTER CE GARÇON, TU N'ES PLUS MA FILLE!»

Ce n'est pas grave mon papa! moi je me sens toujours ta fille.
A-t-il oublié qu'au même âge, il était très amoureux?

Prendre soin de ne jamais se définir.

" **Si** tu crois que c'est facile, toi, de dire non !"

" **Fais** ce que tu veux, mais tu verras que la vie te matera !"

" **Tu** me demandes toujours à moi... va donc voir un peu ton père!"

" **De** toute façon, tu n'en feras qu'à ta tête !"

" **Même** si je te dis non, tu arriveras toujours à me convaincre, alors je préfère te dire oui, tout de suite... "

" **J'aimerais** pouvoir te faire plaisir, mais après c'est ton père qui me reprochera de toujours te donner raison !"

Ne jamais se définir permettait à mon père de rester dans l'insatisfaction et le reproche. Il pouvait ainsi critiquer tout ce à quoi il n'avait pas participé. Je n'ai jamais su s'il était de droite ou de gauche, ni pour qui il aurait souhaité voter. " De toute façon c'est tous des incompétents" était son expression favorite.
M.D

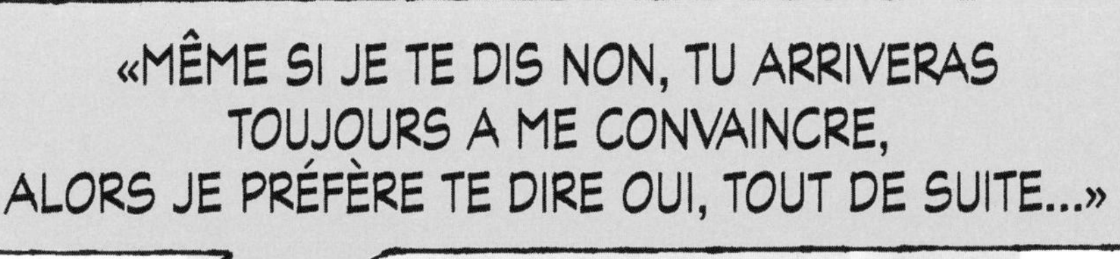
«MÊME SI JE TE DIS NON, TU ARRIVERAS
TOUJOURS A ME CONVAINCRE,
ALORS JE PRÉFÈRE TE DIRE OUI, TOUT DE SUITE...»

Je démissionne
devant un gâteau
comme toi Maman...
devant tout conflit possible!
Moi
j'aime
être mangé
avec gourmandise.

Chantage affectif.

" **Mais** bien sûr, c'est certain, si tu travailles mieux en classe, tes grands-parents nous recevront plus souvent..."

"**Si** tu travailles bien en classe, tu sais que tu auras ton vélo, mais pas avant !"

" **Ne** compte pas partir au ski à Noël si tes résultats ne sont pas meilleurs à la fin du trimestre !"

" **Si** tu avais été plus sage je t'aurais offert ce skate... mais avec le caractère que tu as... "

" **Quand** je serai sûr que tu me dis la vérité, je te donnerai ce que tu me demandes... "

" **Si** je pouvais avoir confiance en toi, je te laisserais partir seule avec tes copains, mais avec toi je suis toujours déçue... "

Le chantage comme la menace étaient des valeurs de vie sûres, dans le milieu où nous vivions. Elles fonctionnaient dans le quartier, à tous les niveaux, d'une maison à l'autre, entre mes parents, entre mes frères et moi, entre les garçons et les filles de la famille, avec les voisins. J'ai même entendu un jour mon père dire à un des locataires du dessus : " Je vous avertis, si jamais vous achetez la télé et que vous nous emmerdez avec, moi je me mets à la trompette !"

F.G

«SI JE POUVAIS AVOIR CONFIANCE EN TOI, JE TE LAISSERAIS PARTIR SEULE AVEC TES COPAINS, MAIS AVEC TOI JE SUIS TOUJOURS DÉÇUE...»

Escroquerie relationnelle… aux sentiments !

" **C'est** parce que je t'aime que je fais ça pour toi !"

" **Ta** mère et moi, on n'a pas divorcé pour vous.
On voulait que vous ayez des parents qui restent ensemble !"

" **Tu** n'es vraiment pas aimable, tu ne peux pas savoir la peine que tu vas faire à tes grands-parents en refusant de venir passer quelques jours de vacances avec eux…"

" **C'est** parce que je t'aime que je ne veux plus que tu fréquentes ce garçon…"

*Enfant, l'amour m'apparaissait comme quelque chose de dangereux.
Car il était brandi au-dessus de nos têtes comme une menace, une pénurie, un manque, une catastrophe ou un séisme à venir…
Je ne m'en suis jamais remis et j'ai toujours eu une défiance viscérale pour l'amour proclamé.*
A.H

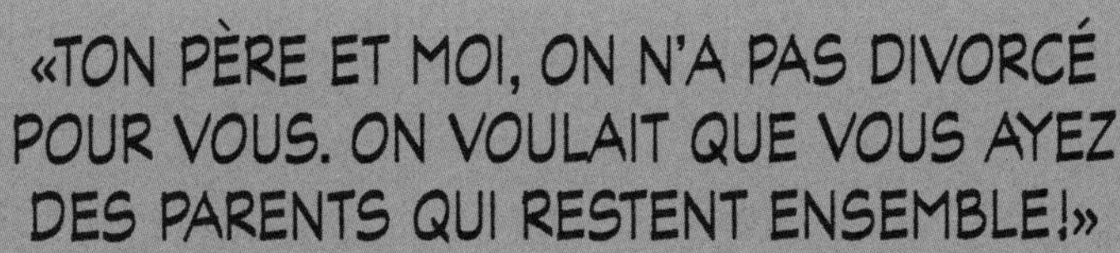
«TON PÈRE ET MOI, ON N'A PAS DIVORCÉ POUR VOUS. ON VOULAIT QUE VOUS AYEZ DES PARENTS QUI RESTENT ENSEMBLE!»

J'aurais préféré moi, qu'ils se séparent plutôt que de se disputer sans arrêt. Je suis sans cesse déchirée entre lui et elle.
Quand ils se disputent, on dirait qu'ils vont se bouffer.

Déposer avec constance son angoisse sur lui.

" **Je** ne veux pas que tu partes camper comme ça... j'ai peur qu'il t'arrive quelque chose !"

" **Tu** ne trouves pas que tu manges trop ! Je ne supporte pas de te voir grossir !"

" **Ah**, je ne dors plus depuis que je sais que tu fréquentes cette fille de rien..."

" **Si** tu savais le souci que je me fais, quand je te vois partir à vélo... avec tous ces fous qui circulent en liberté !"

" **Jamais** je ne m'y ferai, depuis qu'on a agressé ta copine, je me fais un sang d'encre. Mais s'il t'arrivait la même chose, tu te rends compte, je ne vivrais plus... "

Nous vivions dans un climat d'angoisse permanente. C'était un personnage familier, qui semblait ne fréquenter que notre famille. "Je ne sais pas ce que j'ai, je suis angoissée à l'idée qu'il puisse t'arriver quelque chose..." L'angoisse était notre invitée permanente. Ma mère achetait des poires, mais il devait toujours en rester une dans le compotier, qui ne devait pas être mangée... avant l'arrivée des suivantes.
S.V

«SI TU SAVAIS LE SOUCI QUE JE ME FAIS,
QUAND JE TE VOIS PARTIR EN VÉLO...
AVEC TOUS CES FOUS QUI CIRCULENT EN LIBERTÉ !»
Avec mon vélo j'agrandis
ma liberté,
c'est un bol d'oxygène...
Il est costaud
mon copain !
Il a le dos large
pour porter
toutes les
angoisses
de sa famille
sans compter
les voisins !

Mettre nos enfants au service de nos besoins.

"**Va** chercher ma bière, apporte-moi le journal et n'oublie pas mes cigarettes et le cendrier !"

" **Taisez**-vous, moi j'ai besoin de silence !"

" **Je** n'ai pas envie de sortir par cette chaleur, on ira à la piscine demain…"

" **Vous** ne pouvez pas parler moins fort, non ! Je n'entends plus les commentaires du foot !"

" **C'est** normal que les enfants aident les parents, après tout ce qu'ils ont fait pour eux !"

Elle avait l'habitude de me prendre la main en traversant la rue. Elle saisissait en entier ma main vivante comme s'il s'agissait de son portefeuille. " Il faut faire attention, disait-elle, il y a tant d'accidents chaque année !" Lorsque je devins plus grande qu'elle, je commençais à me sentir embarrassée, à tenter de retirer ma main et de m'écarter d'elle. Je me débattais contre la douce et ferme contrainte qu'elle exerçait sur moi. " Je veux que tu sois heureuse, tu sais !", me disait-elle.
Ying Chen

«TAISEZ-VOUS! J'AI BESOIN DE SILENCE MOI !»

Pratiquer à outrance la relation klaxon.

" **Tu** fais ton lit, tu ranges ta chambre, tu vides les poubelles, tu n'oublies pas de te coiffer et je ne veux pas que tu partes à l'école avec une seule tartine dans l'estomac, tu en manges trois... "

" **Tu** pourrais quand même fermer la télévision et te coucher sans faire d'histoires..."

" **Ça** ne coûte rien quand même d'embrasser ton oncle et de lui dire que tu l'aimes !"

" **Tu** as vu ce que tu as fait... Tu mériterais vraiment qu'on te gifle !"

" **Tu** n'as encore rien compris, hein ! Tu n'as pas vu que ta mère est malade. Tu devrais pourtant le savoir !"

Cet enfant n'en fait qu'à sa tête
Nous voulons qu'il en fasse à la nôtre.
Jacques Prévert

«TU FAIS TON LIT, TU RANGES TA CHAMBRE, TU VIDES LES POUBELLES, TU N'OUBLIES PAS DE TE COIFFER ET JE NE VEUX PAS QUE TU PARTES A L'ÉCOLE AVEC UNE SEULE TARTINE DANS L'ESTOMAC, TU EN MANGES TROIS...»
En plus de tout ça est-ce que j'ai le droit de respirer sans déclencher une nouvelle exigence.
Elle améliore tous les jours son record de demandes...

Utiliser l'ironie disqualifiante à dose non homéopathique.

" **Ah** oui, tu es super doué pour ne casser que trois assiettes dans une pile de quatre, j'aimerais que tu m'apprennes !"

" **Si** tu crois que c'est suffisant pour réussir ton bac d'avoir été élu : *le camarade le plus apprécié pour son humour en classe...*"

" **Je** vois beaucoup de garçons tourner autour de toi, cela ne veut pas dire que tu es exceptionnelle !"

" **Mademoiselle** se croit déjà une jeune fille, mais voyez moi ça ! Tu es vraiment grotesque..."

" **À** part la Vénus Hottentote, je ne vois pas à qui tu veux ressembler !"

" **Alors** après trois leçons, on se prend déjà pour le nouveau Johnny Halliday !"

" **Ah !** Miss Catastrophe est encore passée par là..."

L'ironie persiflante de ma mère me terrorisait. Elle avait des mots assassins sur ses amies, sur les connaissances ou les personnes qui croisaient sa vie. Je redoutais par-dessus tout qu'un de ses mots puissent un jour tomber sur moi. J'étais devenue transparente, pensant ainsi échapper à la flèche mortelle d'un de ses mots.
J.T

«ALORS APRÈS TROIS LEÇONS, ON SE PREND DÉJÀ POUR LE NOUVEAU JOHNNY HALLIDAY!»

Ne pas laisser l'enfant terminer ses phrases, le couper, lui refuser le droit à la parole, lui demander toujours : "Pourquoi tu dis ça ou tu fais ça ?"

" **Tu** parleras quand tu seras grand !"

" **Je** n'ai pas le temps d'écouter des bêtises et d'entendre des âneries chaque fois que tu ouvres la bouche !"

" **Tais**-toi, je n'entends même pas ce que dit cet idiot à la télé !"

" **Mais** tu n'as rien à dire de plus, tu t'embrouilles toujours dans tes explications, plus personne ne comprend ce que tu veux dire..."

"**Arrête**, arrête tes boniments, ça ne sert à rien de vouloir me convaincre, je sais que tu as tort, ça me suffit !"

On me demandait si souvent " pourquoi ?" que j'avais fini par penser que telle était la question posée tout naturellement par les adultes aux enfants, quand ils ne sont pas d'accord avec eux. Quand ils se méfient de ce qu'ils mijotent ou encore quand ils se comportent d'une façon qui leur semble inappropriée ou gênante. On m'a demandé si souvent "pourquoi ?" même à propos de choses qui me paraissaient évidentes, que j'en ai tiré cette conclusion : les adultes tout simplement ne comprennent rien aux enfants. Sinon ils n'auraient pas besoin de leur poser des questions à tout bout de champ !
Bruno Bettelheim

«ARRÊTE, ARRÊTE, ÇA NE SERT A RIEN DE VOULOIR ARGUMENTER, JE SAIS QUE TU AS TORT, ÇA ME SUFFIT!»
Je tente seulement de dire que j'aime pas m'occuper du jardin.
Si on le laisse faire, il va tondre même les rosiers!

Enfermer toute tentative de personnalisation ou de témoignage personnel, dans des ON et des NOUS.

" **Alors,** on a fini de se doucher, on envisage enfin d'aller se coucher sans faire d'histoires, et nous, on va pouvoir faire notre toilette sans déranger Monsieur ?"

" **Nous,** on n'est pas comme ça, on ne se plaint pas à tout bout de champ. Dans notre famille, on a appris à souffrir sans rien dire !"

" **Alors,** on a enfin fini son livre, on peut servir le repas sans craindre qu'il refroidisse ?"

" **Alors,** voilà que Monsieur veut nous apprendre la politesse maintenant. On ne t'a pas attendu, on sait se tenir sans avoir besoin de leçons de savoir-vivre, nous !"

Vous parlez comme des parents, mais vous vous gardez bien de parler de vous-mêmes, de vos sentiments. Si vous devez avoir une relation d'égal à égal un jour avec vos gosses adultes, il serait grand temps que vous commenciez à essayer de laisser entrevoir un peu plus de vous-mêmes que ce côté pater familias *qui est supposé tout savoir.*
Augustus Nappier et Carl Whiteker

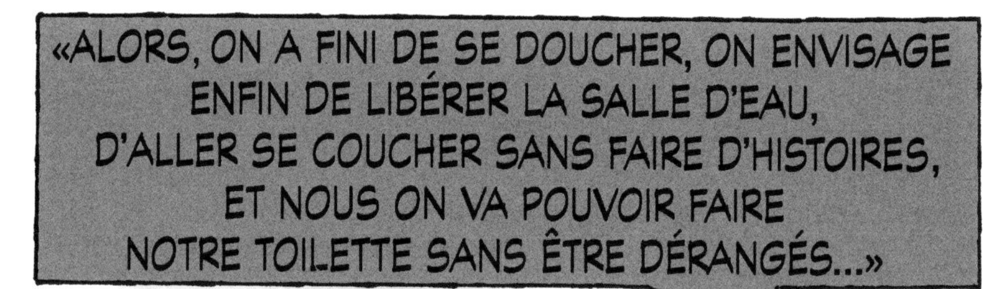
«ALORS, ON A FINI DE SE DOUCHER, ON ENVISAGE ENFIN DE LIBÉRER LA SALLE D'EAU, D'ALLER SE COUCHER SANS FAIRE D'HISTOIRES, ET NOUS ON VA POUVOIR FAIRE NOTRE TOILETTE SANS ÊTRE DÉRANGÉS...»

Oui, oui, depuis quelque temps, il s'occupe aussi de moi !
C'est un moment qui est vraiment à moi quand je m'occupe de mon corps.

Transformer l'enfant en poubelle émotionnelle.

" **Si** tu savais ce que j'ai vécu aujourd'hui, tu arrêterais tout de suite ce disque... "

" **Il** faut que je te dise car je n'ai personne à qui en parler : mon patron s'est montré odieux, dans le bus personne ne m'a laissé une place assise, j'avais oublié mon parapluie et il s'est mis bien sûr à pleuvoir, j'ai dû attendre le suivant, toute mouillée durant vingt minutes, je suis allée au supermarché pour rien, ils n'avaient même plus de poisson frais... le vigile a quand même fouillé mon sac, si tu crois que c'est une vie, ça ! "

" **Il** faut que je te le dise, sinon je vais étouffer si je n'en parle pas, eh bien la nouvelle voisine, elle se permet de mettre son petit linge à la fenêtre, à la vue de tous. Il y en a qui se croient tout permis, je te jure ! Elle a envie peut-être qu'on remarque qu'elle ne porte pas de culotte Petit Bateau !"

" **Quand** j'avais ton âge, ma mère me battait, mon père buvait, mon grand frère me tripotait le soir dans le lit, les gosses du voisinage m'appelaient " la grosse " et moi j'avais envie de mourir tous les jours... "

" **À** ta naissance, tu pesais trop, tu avais une tête énorme , tu m'as déchirée en sortant, on m'a fait huit points, après je ne sentais plus rien, comme si mon sexe était mort. Tu crois que c'est une vie de femme, ça ! Évite d'avoir des enfants plus tard, c'est la poisse..."

"**Toute** ma vie, je n'ai attiré que des malheurs, une catastrophe naturelle : c'était pour moi ; un licenciement : c'était ma fête. Tout, il m'est tout arrivé. Et encore, je ne peux pas tout te dire, mon pauvre chéri... "

Quand il avait bu, papa devenait très loquace et très tendre. Il me prenait contre lui et il me racontait en pleurant tous les malheurs qui lui étaient arrivés quand il était petit. Il terminait en disant : " C'est pour qu'il ne t'arrive pas la même chose que je fais tout ce que je fais !" Alors je souhaitais que papa continue de boire, pour qu'il ne m'arrive pas la même chose qu'à lui. ***M.S***

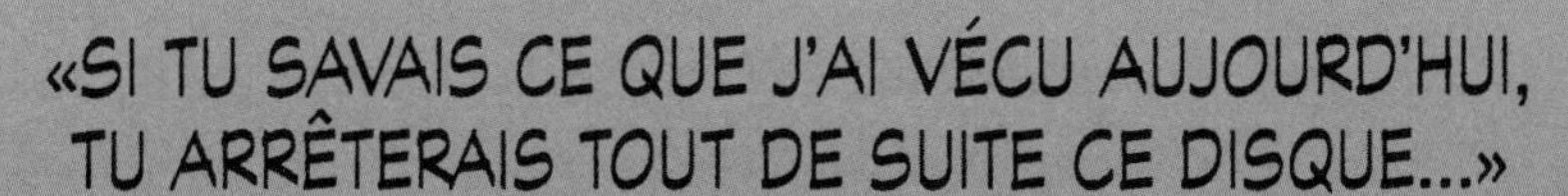
«SI TU SAVAIS CE QUE J'AI VÉCU AUJOURD'HUI, TU ARRÊTERAIS TOUT DE SUITE CE DISQUE...»

Ce que tu as vécu t'appartient. C'est bien toi qui l'a vécu comme cela. Je ne vois pas en quoi cela t'aiderait si je prenais ta morosité sur moi.
Les parents sont terribles quelquefois, de vouloir déposer à tout prix leurs malaises sur leurs enfants chéris.

Mélanger deux registres relationnels.

" **Puisque** tu m'as menti, je ne veux plus t'écouter "

" **Ta** grand-mère sera très déçue de savoir que tu ne sais même pas faire ton lit à ton âge ! "

" **Tu** sais combien on t'aime, alors tu pourrais quand même faire un effort avec ton frère... "

" **Puisque** tu as volé, tu seras privé d'argent de poche pendant deux mois... ça t'apprendra... "

Je n'ai jamais saisi le rapport qu'il pouvait y avoir entre ma tante Lisa et les trottoirs. " À son âge, elle fait encore le trottoir ", disait ma mère. Et pourtant je n'ai jamais vu ma tante ni dans la rue, ni sur un trottoir, pour tout dire je ne l'ai jamais vue habillée, ma tante Lisa, elle était toujours en peignoir...

U.K

«TA GRAND-MÈRE SERA TRÈS DÉÇUE
DE SAVOIR QUE TU NE SAIS MÊME PAS FAIRE
TON LIT A TON ÂGE»

Violence du non-dit.

" **Ce** n'est pas la peine de m'en dire plus, j'ai compris, ça va comme ça, de toute façon tu ne comprends que les coups !"

" **Je** sais ce que tu penses, ce n'est pas la peine de m'expliquer, de toute façon je ne te crois plus... "

" **De** toute façon j'ai déjà mon opinion, si tu crois que je vais avaler tes justifications."

" **Non**, non j'en ai rien à faire de tes explications, tu seras puni, tu es incapable d'arriver à l'heure..."

" **Quand** on sait d'où tu sors, il ne faut pas s'étonner... "

"**Je** suppose que tu vas encore m'expliquer qu'il y a eu une inondation, le feu ou une révolution dans le quartier de ton école... Je sais, je sais tout ça, mais cela ne changera rien à mon opinion sur toi..."

"**Ne** me demande plus jamais qui est ton père, je ne veux pas en entendre parler, après tout ce qu'il m'a fait subir... "

" **On** ne parle pas de ces choses-là, tu veux encore me faire souffrir et réveiller de vieilles douleurs avec cette histoire..."

Mon père ne m'a jamais frappé, mais durant toute mon enfance je fus terrorisé par sa corpulence et surtout par sa voix. C'était un ancien marin qui avait une voix de stentor, quand il réclamait le sel, c'est comme s'il criait à l'abordage...
M.A

«NON, NON J'EN AI RIEN A FAIRE DE TES EXPLICATIONS, TU SERAS PUNI, TU ES INCAPABLE D'ARRIVER A L'HEURE...»
Il aurait pu devenir bègue!
Je n'arrive jamais à terminer une phrase dans cette famille, jamais!

Intervenir dans une relation qui ne vous concerne pas directement : dans la conversation des enfants entre eux et dans leurs jeux, ou encore dans la relation à l'autre parent.

" **Arrête** d'embêter ta sœur, tu vas encore lui faire mal, tu ne vois pas que tu l'ennuies en insistant."

" **Vous** pourriez quand même inventer un autre jeu, c'est toujours toi qui es le chef..."

" **Et** alors elle te supporte toujours ta poupée, elle n'en a pas assez que tu la coiffes et que tu la gaves de sucreries... ?"

" **Vous** pourriez au moins inventer des jeux plus éducatifs, la poupée et les dînettes c'est bon pour les bébés... "

" **Tu** racontes n'importe quoi, ne l'écoute pas, Marie, ça ne s'est pas passé comme ça !"

" **Vous** allez me ranger tout ça, je ne veux pas voir traîner tes jouets n'importe où !"

" **Je** vais aller le voir ton copain, moi, pour lui dire qu'il arrête de te courir après !"

" **Tu** ne peux pas regarder ta mère en face quand elle t'adresse la parole ?"

" **Arrête** de répondre comme ça à ton père, tu ne vois pas qu'il est fragile..."

Jouer était toujours dangereux. Chaque fois qu'il arrivait quelque chose de pénible ou de grave à un enfant du quartier, ma mère concluait : " C'est parce que ses parents le laissent jouer n'importe où !" Je suis devenu un joueur de poker quasi professionnel pour déjouer cette malédiction... Je ne joue pas n'importe où, ni avec n'importe qui ! ***L.S***

«ARRÊTE ! TU VAS ENCORE LUI FAIRE MAL,
TU NE VOIS PAS QUE TU L'ENNUIES EN INSISTANT.»
Moi, je préfère quand ils me lancent en l'air !
C'est parce qu'on s'aime qu'on se taquine comme ça !

Secret violé ou secret partagé non respecté.

"**J'ai** dû dire à ton père que tu avais un petit ami... il a le droit d'être au courant, s'il arrivait quelque chose de grave..."

" **Oui,** je sais, tu m'avais dit de ne rien dire, mais je n'ai pas pu me retenir, c'est normal qu'une mère parle de ses enfants... Tu ne vas pas en mourir quand même ! "

" **J'ai** le droit de savoir ce que ma fille écrit tous les soirs quand j'ai le dos tourné. Ton soi-disant journal intime, c'est un torchon, un ramassis de mensonges et de faussetés. Je l'ai brûlé, quelle horreur..."

" **Quand** je vous ai vu partir ensemble, je me suis douté de quelque chose. J'ai bien vu ce qui s'est passé derrière l'église, alors vous vous embrassez maintenant... On aura tout vu !"

Un jour en rentrant du lycée, j'ai vu, bien en évidence sur la table de la cuisine, mon journal intime. Ma mère avait souligné en rouge une lettre d'amour que je n'avais jamais envoyée au garçon qui occupait à l'époque toutes mes pensées. Je fus accueillie par : " Alors c'est à ça que tu penses au lieu de préparer ton avenir ! Ma petite je ne veux pas de ça à la maison, tu entends, jette-moi ça tout de suite..." Ce "ça" contenait toute la malfaisance du monde.

P.L

«J'AI DÛ DIRE A TON PÈRE QUE TU AVAIS UN PETIT AMI... IL A LE DROIT D'ÊTRE AU COURANT, S'IL ARRIVAIT QUELQUE CHOSE DE GRAVE...»
Elle a raison ma copine, il ne faut jamais faire confiance à personne, surtout pas à ses parents.
Elle lui casse sans arrêt du sucre sur le dos.

Violation de l'intimité.

" **J'ai** bien été obligé de lire ton journal secret, tu ne me dis jamais rien. Heureusement que je l'ai lu, c'est comme ça que j'ai appris que tu avais fumé du haschisch..."

" **J'ai** entendu hier, quand tu parlais à ta sœur de ce qui s'est passé l'an dernier au camp de scouts !"

" **Vous** savez, c'est une femme maintenant. Elle n'aime pas quand je dis ça, mais il faudra bien qu'elle s'y fasse !"

" **Montre**-moi ta culotte, que je regarde s'il n'y a rien de sale dedans.... "

" **Tu** dois tout me dire, ne rien me cacher, même tes pensées les plus secrètes. Une mère doit tout savoir de ses enfants, surtout de sa fille... Quand on voit ce qui se passe maintenant... "

J'étais rouge de honte, quand ce matin-là, à l'arrêt de l'autobus, ma mère éprouva le besoin de dire à sa voisine: " Vous savez, elle a ses règles maintenant, c'est une femme, il faudra qu'elle fasse attention..." Mes règles se sont arrêtées et ne sont revenues que cinq ans plus tard, quand j'ai quitté la maison.

D.F

Elle ne m'a rien expliqué pour les règles... et elle le crie sur tous les toits!
J'aimerais lui dire que ce n'est pas une catastrophe les règles.
«VOUS SAVEZ C'EST UNE FEMME MAINTENANT. ELLE N'AIME PAS QUAND JE DIS ÇA, MAIS IL FAUDRA BIEN QU'ELLE S'Y FASSE!»

Rester dans la symbiose, être trop fusionnels.

"**Je** sais que tu penses comme moi, même si tu ne veux pas l'admettre !"

" **Je** sais tout de toi, tu ne peux rien me cacher, de toute façon mon petit doigt me dit tout ce que tu penses !"

" **On** est bien ensemble, pourquoi chercher ailleurs ce qui ne coûte rien ici..."

" **Dans** une famille unie, il n'y a pas de désaccord, on doit tous se serrer les coudes, être du même avis quoi qu'il arrive..."

" **Toi** et moi on est destinés à souffrir toute notre vie, c'est écrit, tout ça. Tu auras beau faire, rien n'y changera rien..."

Son désir le plus profond était de nous donner tout ce qu'elle n'avait pas eu. Mais cela représentait pour elle un tel effort de travail, tant de soucis d'argent, une préoccupation du bonheur des enfants si nouvelle par rapport à l'éducation d'autrefois, qu'elle ne pouvait s'empêcher de constater :" Tu nous coûtes cher !" ou : " Avec tout ce que tu as, tu n'es pas encore heureuse..."
Annie Ernaux

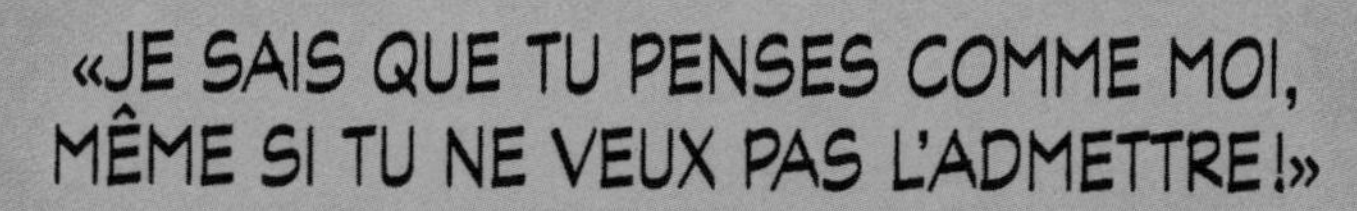
«JE SAIS QUE TU PENSES COMME MOI,
MÊME SI TU NE VEUX PAS L'ADMETTRE!»

Il y a autant de différence entre une mère et une adolescente qu'entre un océan et une mer!
Je pense surtout comme je sens et ce que je sens m'appartient...

Entraîner l'enfant dans la parentification.

" **Si** tu étais plus responsable, tu comprendrais que je suis trop fatiguée, que c'est à toi de surveiller tes frères et soeurs."

" **À** ton âge maintenant tu dois savoir te débrouiller tout seul, te prendre en charge sans rien attendre des autres..."

" **Je** n'ai que deux bras, ce sera toi qui seras un peu la mère de ta sœur..."

" **Depuis** que ton père est mort, c'est toi maintenant le chef de famille... je dois pouvoir compter sur toi..."

J'ai eu le sentiment, très tôt, qu'on m'avait volé mon enfance. Que ma mère étant si démunie, si fragile, si bébé, c'était à moi d'être en quelque sorte une bonne mère pour elle...
E.P

«SI TU ÉTAIS PLUS RESPONSABLE TU COMPRENDRAIS QUE JE SUIS TROP FATIGUÉE, QUE C'EST A TOI DE SURVEILLER TES FRÈRES ET SŒURS.»
J'ai jamais eu d'enfance, j'ai été obligé de grandir trop vite.
Quand on vole son enfance à un enfant, plus tard devenu adulte, il ne sait pas ce que c'est que de jouer avec eux.

Ne pas respecter le rythme d'un enfant.

" **Dépêche**-toi, qu'est-ce que tu es lent ! Il ne te faut quand même pas une heure pour faire tes besoins !"

" **Je** n'ai pas que cela à faire, tu te dépêches de choisir ou tu n'auras rien du tout !"

"**Alors,** ça fait maintenant une heure que je t'ai réveillé et tu n'as même pas ouvert les yeux !"

"**Si** tu n'aimes pas ce cadeau je le reprends, ça fait une heure que tu tournes et retournes la boîte dans tes mains sans l'ouvrir !"

" **Tu** nous mets toujours en retard, il faut te préparer deux heures avant les autres..."

Chez nous, tout se faisait dans la précipitation. Le rythme de mon père marquait toute la vie familiale. Manger à midi, souper à dix-neuf heures et déjeuner tous les dimanches à huit heures trente, étaient des obligations minimales. Il ne répétait jamais deux fois la même chose, nous devions entendre du premier coup et surtout obéir... sinon la tempête se déclenchait. J'ai vécu ainsi, dans mon enfance, une vie de cataclysmes, de cyclones et de tremblements de terre. Aujourd'hui la vie me semble incroyablement paisible... les guerres, les catastrophes naturelles que j'entends à la radio ou que je vois à la télé me semblent des incidents mineurs, des babioles...
P.T

Je savoure cet instant précieux, qui précède le choix.
Il n'a même pas besoin de choisir une poire pour la soif.
«JE N'AI PAS QUE CELA A FAIRE, TU TE DÉPÊCHES DE CHOISIR OU TU N'AURAS RIEN DU TOUT!»

Montrer de la fausse bienveillance.

"**Tu** sais que tu peux me faire confiance, dis-moi ce qui s'est réellement passé !"

" **On** doit tout dire à ses parents, ils peuvent tout comprendre !"

"**C'est** pour ton bien que je t'interdis de t'habiller de cette façon. Tu vas faire se retourner tout le monde sur ton passage !"

" **Tu** devrais écouter plus souvent mes conseils, je sais ce qui est bon pour toi... et pas cher !"

Contrairement aux croyances contemporaines, on ne parle pas beaucoup aux enfants. On parle sur eux, mais très rarement à eux. Ainsi se créent des non-dits, des souffrances et des malentendus qui durent sur plusieurs générations parfois...
N.O

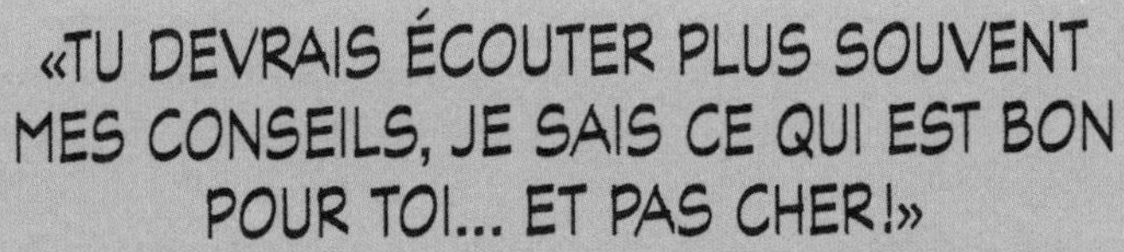
«TU DEVRAIS ÉCOUTER PLUS SOUVENT MES CONSEILS, JE SAIS CE QUI EST BON POUR TOI... ET PAS CHER!»

Je veux m'habiller avec mes goûts à moi.
Heureusement que ses goûts ne sont pas les leurs... sinon, elle ne m'emmènerait jamais avec elle!

Refuser, disqualifier les marques de tendresse.

" **Arrête** donc, tu m'énerves, caresses de chien donnent des puces !"

" **Tu** es là à m'embrasser sans arrêt, je n'ai pas que ça à faire !"

" **Allez,** va dans ta chambre, tu es toujours fourré dans mes pieds."

" **Faire** un câlin à ton âge, comme si je n'avais que cela à faire !"

" **Tu** me fais perdre mon temps, avec tous ces bisous... si encore tu étais sincère..."

" **Quand** on aime, on n'a pas besoin de le montrer..."

La tendresse fait très peur. Peur d'un trop grand rapprochement, peur de l'intrusion, peur de l'érotisation possible. La tendresse est la sève des relations. Malheureusement, une sève trop souvent maltraitée.
J.S

«ARRÊTE DONC, TU M'ÉNERVES, CARESSES DE CHIEN DONNENT DES PUCES !»
J'ai toujours l'impression de la déranger, chaque fois que je veux lui manifester ma tendresse.
J'ai pas de puces qui donnent des caresses moi !

Pratiquer, sans retenue, le passage à l'acte avec des gifles et des coups.

" **Tiens**, tu l'auras voulu. Je ne dis les choses qu'une fois, la prochaine fois tu comprendras qu'on ne me fait pas attendre !"

" **La** gifle que je t'ai donnée, de toute façon tu l'as cent fois méritée."

" **Même** si je me suis trompé cette fois-ci, c'est pour toutes les fois où je n'ai rien vu..."

" **Un** bon coup de pied au derrière n'a jamais fait de mal à personne, estime-toi heureux de ne pas être puni en plus..."

" **Si** on te laissait faire, c'est toi qui nous frapperais..."

Ma mère avait besoin de manifester la force de sa tendresse par des coups. " Ma mère à moi ne m'a jamais touchée, si elle m'avait giflée plus souvent, je n'aurais pas fait autant de bêtises ", nous rappelait-elle fréquemment. Ainsi les gifles qu'elle nous donnait nous assuraient de son amour...

J.P.L

«UN BON COUP DE PIED AU DERRIÈRE N'A JAMAIS FAIT DE MAL A PERSONNE, ESTIMES-TOI HEUREUX DE NE PAS ÊTRE PUNI EN PLUS...»
J'ai toujours l'impression qu'ils ne peuvent dire leurs sentiments qu'avec des coups.
L'humiliation est toujours blessante.

Laisser croire à l'enfant qu'il a un pouvoir de vie ou de mort sur nous.

" **Sans** vous, il y a longtemps que je serais morte !"

" **S'il** vous arrivait quelque chose, je crois que je me tuerais !"

" **Je** ne pense qu'à vous, je n'existe que pour vous, sinon la vie sans vous ne vaut pas la peine d'être vécue..."

" **Heureusement** que vous êtes là, sinon il y a longtemps que je me serais jetée sous un train..."

" **Si** un jour j'apprenais que tu prenais de la drogue, je suis capable de me jeter dans la rivière..."

" **Heureusement** que tu es là mon chéri, sinon je deviendrais folle à vivre ce que je vis..."

Chaque fois que mon père était contrarié, ma mère nous disait : " Vous voulez donc sa mort ! Vous savez bien qu'il est sensible. La moindre contrariété peut le tuer..." Ainsi le dimanche, c'est à peine si nous osions respirer, dans une maison aux volets à peine entrebâillés, nous marchions sur des patins de feutres, pour ne pas rayer le plancher, objet de tous les soins de mon père... La vie était en hibernation, nous vivions à petit feu, à petits pas, à petits espoirs...
A.F

«S'IL VOUS ARRIVAIT QUELQUE CHOSE, JE CROIS QUE JE ME TUERAIS !»
Il va m'arriver plein de choses c'est sûr ! Surtout des choses que vous n'aurez pas découvertes... en restant à la maison !
Ta vie ne dépend pas de nous Maman, elle dépend de toi.

Promesse non tenue.

" **Oui**, oui je t'ai dit cela, c'est vrai, mais c'était pour avoir la paix ! Maintenant j'ai changé d'avis..."

" **Bon,** d'accord, j'ai oublié ! Et les fois où toi tu dis et tu ne fais pas ?"

"**Oui,** c'est vrai, je t'ai promis qu'à dix ans tu pourrais aller toute seule chez ta grand-mère ! C'était pour faire cesser tes pleurs..."

" **S'il** fallait tenir toutes les promesses qu'on fait, la vie n'y suffirait pas... allez, tu ne vas pas en mourir ! "

Maman avait des rêves qu'elle croyait réaliser en nous faisant des promesses... qu'elle ne tenait jamais. Rien ne la décourageait. Elle oubliait chaque fois la promesse précédente et avec une sincérité terrible s'engageait dans une promesse nouvelle à laquelle malheureusement je croyais...

S.L

«BON D'ACCORD J'AI OUBLIÉ !
ET LES FOIS OÙ TOI TU DIS ET TU NE LE FAIS PAS ?»
Je m'engage pas souvent, mais quand je promets, je tiens parole...
Quand il me promet de sortir il m'emmène toujours... moi aussi je suis fidèle à la patte donnée.
REGARD FERTILE

Définir sans arrêt les conditions de temps, de lieu et d'action. Ce n'est jamais le bon moment !

" **Avant** de penser à sortir, tu ferais bien de commencer à ranger ta chambre !"

" **Tu** feras tout ce que tu voudras quand tu seras majeur, mais pour l'instant, c'est moi qui commande !"

" **Passe** d'abord ton bac, on verra après si je suis toujours d'accord !"

" **Va** faire tes caprices ailleurs, mais pas ici ! Je ne veux pas de ça chez moi !"

" **C'est** pas l'heure de manger du gâteau, tu n'auras plus faim à table !"

" **Tu** crois que c'est le moment de tomber amoureuse ? Tu aurais pu attendre la fin de tes révisions !"

J'ai passé mon enfance à ne pas vivre au présent. Je devais toujours me préparer pour l'avenir. Un avenir proche qui m'attendait avec impatience, un avenir plus lointain prometteur de difficultés. Plus tard, adulte..., j'étais toujours en retard !
I.G

«TU CROIS QUE C'EST LE MOMENT DE TOMBER AMOUREUSE? TU AURAIS PU ATTENDRE LA FIN DE TES RÉVISIONS!»
L'amour n'a pas d'âge et se défie des examens!
Plus je pense à lui, plus j'existe!...

Doubles messages et injonctions paradoxales.

" **Tu** es capable de tout, tu es un bon à rien..."

" **Mais** si au moins tu étais spontané quand on te le demande... !"

"**Si** encore on pouvait te faire confiance, mais tu ne peux t'empêcher de dire ce que tu penses, alors comment veux-tu..."

" **Je** veux bien t'écouter mais de toute façon ça ne servira à rien..."

"**Menteur** comme tu es, tu es encore capable de nous dire la vérité pour nous tromper !"

" **Je** te connais comme si je t'avais fait ! Je suis sûr que tu feras une bêtise dès que j'aurai le dos tourné..."

" **Ce** que je veux en te punissant, c'est que tu sois bien dans ta peau plus tard..."

Je me sentais chaque fois désespérée de ne pouvoir satisfaire les demandes contradictoires et paradoxales de mon père qui s'écriait à la cantonnade: " Ah! si le Bon Dieu m'avait donné un garçon au lieu d'un garçon manqué qui est toujours fourré dans mes pattes..."
Il était le premier à me demander de l'aider dans son atelier, ce que je faisais avec un empressement et un enthousiasme jamais démentis. Je n'ai eu mes règles qu'à 18 ans...
E.B

«MENTEUR COMME TU ES,
TU ES ENCORE CAPABLE DE NOUS DIRE LA VÉRITÉ
POUR NOUS TROMPER!»
Quand je mens c'est pour pas vous faire de la peine.
Même à la télé, ils ne disent pas la vérité…

Confondre les actes et la personne.

" **C'est** un voleur, vous vous rendez compte, il a volé pour plus de 100 F de marchandises au Monoprix du coin... "

"**Tu** ne sais pas ce que tu racontes, tu dis n'importe quoi !"

"**Tu** es égoïste, tu dis vraiment ce qui te fait plaisir !"

" **Quand** on ment comme on respire, on ne parle pas à table !"

" **Je** te connais bien, l'année dernière tu n'as rien foutu en classe, déjà ta maîtresse du cours préparatoire disait que tu étais paresseux comme pas un..."

" **De** toute façon tu tiens de ton père, tu es violent comme lui..."

Je m'étais battu dans la cour de récréation... avec un plus grand. Mais cet anathème, qui est tombé sur ma tête à l'âge de 8 ans : " C'est un futur assassin, il a manqué tuer un de ses petits camarades", m'a poursuivi longtemps...
J.S

«TU ES EGOÏSTE,
TU NE FAIS QUE CE QUI TE FAIT PLAISIR!»
C'est vrai, j'aime être seul je ne m'ennuie pas en ma propre compagnie. Ça ne veut pas dire que je suis égoïste... ça veut dire que je suis un bon compagnon pour moi!
Penser à soi de temps en temps, moi je vous le dis, c'est important.

Garder la croyance qu'être parent, c'est apporter des réponses à tout, c'est trouver des solutions, satisfaire tous les besoins au niveau réaliste, anticiper les désirs, et surtout ne pas dire non pour ne pas frustrer ou par peur… des conflits.

" **Vous** savez, même tout petit, il ne savait pas aller en ville tout seul !"

" **Sans** moi, il est perdu, heureusement que je pense à tout !"

" **Bon**, bon, je te l'achète cette cassette vidéo, si c'est le seul moyen d'avoir la paix !"

" **On** ne peut pas s'en sortir avec tous tes besoins. C'est bientôt toutes les semaines qu'il faudra t'acheter quelque chose. Faut pas croire qu'on est des Crésus, on travaille, nous ! Ton père, il en fait des heures supplémentaires, on arrive tout juste… Enfin s'il te le faut…"

" **Bon,** j'ai compris, je me tais, tu vas encore faire la tête durant toute la soirée. D'accord, tu l'auras ton nouveau blouson machin chose !"

" **J'avais** envie de voir les informations, mais si tu préfères ton feuilleton, je peux m'en passer… je regarderais les informations une autre fois…"

" **Si** je pouvais me le permettre, j'arrêterais bien de travailler pour être plus souvent avec toi, mais en même temps tu sais qu'on cherche un appartement plus grand, pour toi d'ailleurs, pour que tu aies enfin une chambre à toi… Il faut bien choisir !"

J'ai compris plus tard qu'il y avait des filles de la mère, des filles du père, des fils de la mère et des fils du père. Moi, j'étais surtout une fille du père. J'avais besoin comme lui de convaincre, de réussir, de prouver que j'étais capable et surtout que je n'avais besoin de personne. Tout ce que faisait ma mère pour moi était nul, je rejetais tout avec une mauvaise foi qui ne l'a jamais découragée…
C.T

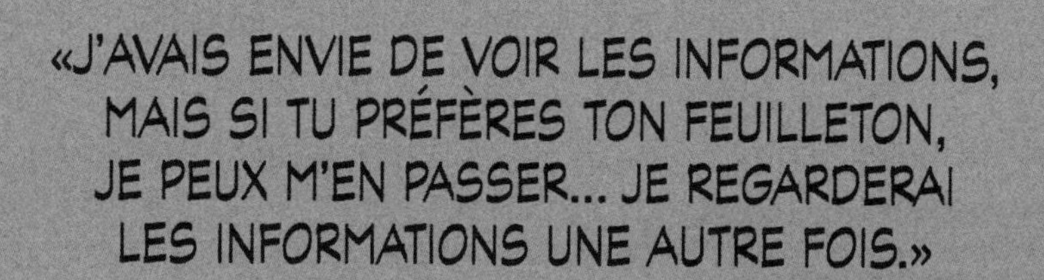
«J'AVAIS ENVIE DE VOIR LES INFORMATIONS, MAIS SI TU PRÉFÈRES TON FEUILLETON, JE PEUX M'EN PASSER... JE REGARDERAI LES INFORMATIONS UNE AUTRE FOIS.»

Maman si tu pouvais apprendre à faire des demandes directes... je serais plus à l'aise avec mon propre désir.
Faire une demande claire, c'est prendre le risque de la réponse de l'autre.

Enfermer l'enfant dans un rôle, une étiquette.

" **Tu** es grand maintenant, c'est à toi de comprendre un peu..."

" **C'est** toi l'aîné, tu pourrais montrer l'exemple quand même !"

" **Depuis** qu'il a perdu son père, il est insupportable, on ne peut plus le tenir..."

" **Vous** les petits vous mangez à part, les grands, eux, ne dérangent pas les adultes, ils savent se tenir... "

" **Ah**, tu es bien comme les jeunes d'aujourd'hui, jamais contents, toujours à réclamer et à profiter de la situation en restant chez papa-maman..."

" **C'est** toi-même qui as dit un jour que tu détestais les sports individuels ! Et tu veux te mettre à la course à pied maintenant !"

" **C'est** incroyable ce que tu deviens ! Tu n'étais pas comme ça quand tu étais petit..."

" **C'est** sûrement parce que tu es fatigué et énervé par tes examens que tu réagis comme ça... tu as peur d'échouer !"

" **Depuis** toujours tu es comme ça... À mon avis, c'est héréditaire!"

À l'école, j'étais Fufu, cela voulait dire que je n'étais pas futé. Que je n'étais pas capable de comprendre l'évidence, ni de participer à un échange, j'étais toujours sur la périphérie des groupes et des jeux. Ah oui ! On me confiait cependant la tâche de garder la porte des cabinets, quand un des camarades de classe faisait ses gros besoins... " Tu t'en vas pas, hein, tu restes là..."

A.G

«C'EST TOI-MÊME QUI A DIT UN JOUR QUE TU DÉTESTAIS LES SPORTS INDIVIDUELS! ET TU VEUX TE METTRE A LA COURSE A PIED MAINTENANT!»
Je suis un être en évolution permanente! Aujourd'hui, c'est la course à pied que j'aime.
Il n'y a que moi qui ne change pas, je suis définitivement une poubelle.

Renvoyer à des lieux communs, à des références normatives, logiques.

" **Je** ne te comprends pas ! Qu'est-ce qui te prend de me parler sur ce ton ?"

" **Non**, mais en voilà des manières, ce n'est pas parce que tu ne vas pas chez ton grand-père que tu dois me taper !"

" **Tu** es grand maintenant, tu arrêtes de pleurer, sinon moi, je te laisse là tout seul... "

" **À** ton âge, voyons, on ne joue plus à la poupée ! Range-moi tout ça ! "

" **Normalement,** à 15 ans, on sait ce que l'on veut faire dans la vie ! Faudra bien que tu prennes une décision pour l'année prochaine. On est déjà au mois d'avril et tu sais bien que le dernier trimestre passe très vite... "

Ma mère croyait à la vertu du bon sens. " Le Bon Dieu ne m'a donné ni la beauté, ni l'intelligence, mais il m'a donné du bon sens, disait-elle souvent, avec du bon sens vous vous en sortez toujours dans la vie..."
R.A

«NORMALEMENT A 15 ANS, ON SAIT CE QUE L'ON VEUT FAIRE DANS SA VIE ! FAUDRA BIEN QUE TU PRENNES UNE DÉCISION POUR L'ANNÉE PROCHAINE. ON EST DÉJÀ AU MOIS D'AVRIL ET TU SAIS BIEN QUE LE DERNIER TRIMESTRE PASSE TRÈS VITE...»
Je rêve de ne pas être cueillie trop tôt pour savourer chaque minute de la vie.
Je rêve ma vie tous les jours et mes rêves m'emportent bien au-delà.

Envoyer des messages pervers.

" **Va** voir dans le jardin si j'y suis... "

" **Si** tu as faim, mange ta main et garde l'autre pour demain..."

" **Si** tu dis encore un mensonge, ton nez va pousser comme celui de Pinocchio..."

" **Sois** sage et n'oublie pas que mon petit doigt me dit tout !"

" **Il** faudra bien que je le sache un jour, alors autant que tu me le dises tout de suite !"

" **Jeux** de mains, jeux de vilains..."

" **C'est** bien fait pour toi, c'est le petit Jésus qui t'aime plus que moi qui t'a puni !"

Quand j'allais dans le jardin, à partir de l'injonction sybilline de mon père "va voir si j'y suis", j'éprouvais un sentiment diffus d'angoisse. Je le cherchais avec un désarroi grandissant, et de retour j'étais dans un état de confusion et de culpabilité extrême. Je croyais que j'étais responsable de sa disparition. Cela m'a troublé longtemps, longtemps. Aujourd'hui je me sens responsable de tout ce qui arrive à mes proches...

G.T

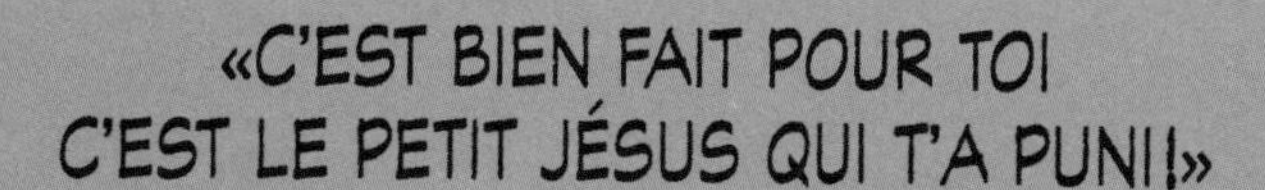
«C'EST BIEN FAIT POUR TOI
C'EST LE PETIT JÉSUS QUI T'A PUNI!»

Le petit Jésus n'y connaît rien au hockey sur glace. Par contre celui qui m'est rentré dedans, il est fortiche!
Je suis crevé moi. J'aimerais bien que le petit Jésus m'accorde un peu d'attention... J'en reçois des coups!

Agir par peur plutôt que par désir.

" **Attention,** tu vas te brûler si tu bois trop vite !"

" **Je** t'interdis d'aller jouer dehors, car si tu continues à traverser la rue sans regarder, tu vas te faire écraser..."

" **Si** tu sens que la manifestation dégénère, mets-toi bien au bord, ne reste pas dedans, on ne sait pas ce qui pourrait arriver... "

"**Sois** prudent sur la route. Avec tous ces fous au volant qui roulent comme des malades..."

" **Attention** avec ton ballon, tu vas encore tout casser dans cette maison..."

" **Je** ne veux pas que tu ailles à cette surboum, avec tout ce qui se passe maintenant entre les garçons et les filles, je ne veux pas que tu te retrouves enceinte ou avec le sida !"

Le catastrophisme était une activité à plein temps pour ma mère. Elle en tirait un des plaisirs les plus suaves de son existence. Dans chaque événement, elle anticipait le pire. Elle décrivait aussitôt le déroulement des horreurs, des dangers et des souffrances qu'elle agrémentait de réflexions personnelles. "Et encore, heureusement que les enfants étaient à l'école sinon toute la famille y passait..."
T.B

«SI TU CONTINUES A TRAVERSER LA RUE SANS REGARDER, TU VAS TE FAIRE ÉCRASER»
Les automobilistes ont aussi la possibilité de me voir, ils n'ont pas envie de m'écraser eux!
Moi, je désire arriver en entier à la maison!

Confondre la relation parentale et la relation conjugale. Consulter l'enfant ou le prendre à partie dans des domaines réservés à la relation du couple.

" **Va** demander à maman si elle est d'accord !"

" **Je** vais au cinéma avec papa ce soir, vous serez sage..."

" **Votre** mère me quitte pour un autre, c'est comme ça qu'elle vous aime !"

" **Votre** père m'a toujours déçue, ce n'est pas un homme, au fond j'ai passé ma vie à élever deux enfants plus un et le plus petit de tous n'était pas ceux auxquels je pensais..."

" **Je** lui ai pourtant dit, à ton père, que je ne voulais plus avoir d'enfant... mais maintenant il veut qu'on en adopte un... !"

" **N'est**-ce pas que tu aimerais avoir un petit frère maintenant et pas dans deux ans ? hein mon chéri... dis-le à ton papa pour qu'il comprenne !"

" **Tu** sais, avec ton père, je n'ai aucune confiance, je sais qu'il me trompe avec plein de femmes... il n'y a qu'avec toi que je suis bien. Tu ne seras pas comme lui plus tard ?"

" **Ça** te ferait plaisir si je me remariais ? Ça serait quand même mieux s'il y avait un homme à la maison !"

Ma mère m'avait annexée dans son camp. Je devais la soutenir, l'approuver, lui montrer que j'étais avec elle contre son mari. J'étais sa fille et je devais être solidaire de son combat sans fin contre l'homme que j'aimais le plus au monde... mon père.
M.O.P

«VOTRE MÈRE ME QUITTE POUR UN AUTRE,
C'EST COMME ÇA QU'ELLE VOUS AIME!»
C'est pas ma mère qui te quitte Papa, c'est ta femme! Elle peut être amoureuse d'un autre homme et nous aimer tout autant!
Ah! le chantage aux enfants je connais ça depuis longtemps...

Le recours à la catastrophe implicite, imminente ou lointaine mais jamais clairement définie.

" **Si** ça ne tenait qu'à moi, il y a longtemps que je t'aurais mis une claque..."

" **Je** veux bien inviter ta copine à dormir ici, mais à condition que vous ne fassiez pas de bêtises... "

" **On** ne sait jamais ce qui peut se passer dans la tête d'un enfant, moi je ne ferme pas l'œil de la nuit quand ils sortent... "

" **Attention** aux garçons, tu es une jeune fille maintenant !"

" **Ça** ne va pas se passer comme ça, tu verras quand ton père va rentrer, il a moins de patience que moi, lui !"

Notre famille était maudite des dieux. Il y avait toujours un démon, un diable, un esprit malveillant à l'affût de nos difficultés pour les amplifier, pour réduire à néant nos efforts, pour saboter notre courage et notre ténacité. "Le malheur a élu domicile chez nous, disait souvent notre père, il s'invite seul, un jour il me foutra même dehors !"
C.B

«ÇA NE VA PAS SE PASSER COMME ÇA, TU VERRAS QUAND TON PÈRE VA RENTRER, IL A MOINS DE PATIENCE QUE MOI, LUI!»

Imposer, s'imposer.
Se croire indispensable, se sentir obligé d'intervenir, de dire ou de faire.

"**Vous** resterez bien à dîner, j'ai acheté de la viande pour quatre... et un bon dessert pour vous..."

" **Tu** ne vas quand même pas rester seule tout le week-end, je passerai te voir dimanche après-midi..."

"**Encore** un peu de gâteau, tu l'aimais bien quand tu étais petit !"

" **Je** suis bien obligée d'intervenir sinon, il casse tout. Et c'est moi qui doit ensuite réparer..."

" **Il** se croit tout permis. On est quand même obligé de sévir ! sinon où on va ?"

" **Si** je n'étais pas là, je me demande ce que tu ferais..."

" **Je** n'ai pas le choix, tu m'obliges à te punir une fois de plus..."

" **Je** suis bien obligée de réagir, parce que là, vraiment, tu dépasses les bornes !"

" **Je** n'allais pas rester là à rien faire ou à rien dire. Je n'allais pas vous laisser vous crêper le chignon comme des chiffonniers ! Il fallait bien que j'intervienne, sinon qui l'aurait fait ? Sûrement pas votre père, il ne voit jamais rien, lui !"

Rien ne devait résister à la gentillesse effrayante de ma mère. Elle imposait sa volonté par pressions successives, par petites touches, niant toute résistance, elle n'entendait ni les refus, ni les remerciements. Tous ceux qui la fréquentaient n'avaient qu'une ressource, la fuir. Malheureusement, nous étions cinq à vivre avec elle, sans échappatoires possibles.
F.B

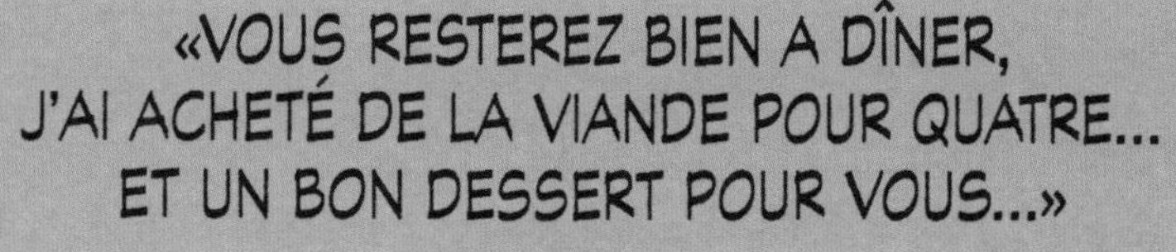
«VOUS RESTEREZ BIEN A DÎNER,
J'AI ACHETÉ DE LA VIANDE POUR QUATRE...
ET UN BON DESSERT POUR VOUS...»

J'avais prévenu que je ne serais pas là ce soir. Je laisse ma part de dessert à Papa!
J'ai un autre projet pour ce soir. Je mangerai le dessert demain matin au petit déjeuner!
Moi j'aimerais bien la part de viande.

Se dire avec des lieux communs, se prendre terriblement au sérieux... avec des affirmations définitives...

" **Ah** tu peux rire, moi je ne plaisante jamais avec l'argent ! Tu crois que c'est facile de le gagner ?"

" **C'est** sérieux la politique, on ne doit pas se moquer des députés qui se dévouent pour le bien d'autrui..."

" **Et** tous ceux qui meurent sur la route à la Pentecôte, est-ce que tu crois qu'ils sont heureux, eux !"

" **Si** tu penses que ça n'était pas arrivé, tu crois qu'ils le diraient à la télévision ? Je l'ai même lu dans le journal ! "

" **Je** ne comprends pas tous ces gens qui vont chercher ailleurs ce qu'ils ne trouvent pas ici ! Le Zen, le Bouddhisme, le Taï-chi, tout ça vient de l'étranger ! C'est pas mieux en Chine ! Faut pas croire, ils ne vivent pas mieux que nous !"

" **Ça** ne me fait pas rire du tout cette façon que vous avez de parler de vos professeurs. Ils méritent qu'on les respecte et qu'on les admire... "

"**Si** tu crois que c'est en prenant tout à la rigolade, que j'en suis arrivé là où je suis arrivé aujourd'hui, tu te trompes. C'est sérieux, la vie, faut pas rigoler avec..."

" **C'est** plus sérieux que tu ne crois, l'amour, tu ne vas pas me présenter quand même une nouvelle copine tous les six mois !"

" **Tu** t'imagines que j'ai du temps à perdre à m'amuser à ça ? J'ai bien d'autres choses à penser, moi !"

Tous les dimanches matins nous avions droit après la messe, à assister au salon ouvert que tenaient mes parents sur le parvis de l'église. Là, nous recevions l'hommage du village. Chacun venait nous rendre compte de ses satisfactions, de ses réussites, de son plaisir à vivre. En effet, mes parents, ma mère surtout, n'acceptait pas les ennuis, les difficultés, les plaintes. Elle rejettait comme impossible, incroyable et suspect tout ce qui aurait pu déranger sa béatitude... ***F.O***

«C'EST SÉRIEUX LA POLITIQUE, ON NE DOIT PAS SE MOQUER DES DÉPUTÉS QUI SE DÉVOUENT POUR LE BIEN D'AUTRUI...»
Quand je lis les journaux sur les «affaires», je trouve qu'ils se dévouent surtout pour leurs affaires personnelles !
C'est quand je les entends à la télé que je n'ai pas envie de rire.

User et abuser de questions fermées et d'injonctions.

" **Mais** pourquoi fais-tu cette tête ? Tu m'écoutes à la fin ?"

" **C'est** tout ce que tu as à me dire ?"

" **Tu** vas me répondre, oui ou non ? Il faut vraiment t'arracher les mots de la bouche..."

" **Allez** ! Parle à la fin ! Dis-moi ce que tu penses ! Je ne vais pas te manger..."

" **Allez,** ne reste pas plantée là comme une idiote. Tu viens ou tu ne viens pas ?"

" **Est**-ce que tu vas enfin te décider à me répondre ? "

" **C'est** blanc ou c'est noir, il n'y a pas de quoi tergiverser durant des heures."

Elle avait une expression, un mot pour toutes les situations.
Elle délogeait n'importe quelle assurance, affirmation ou croyance pour la remplacer par un doute, une inquiétude et surtout un malaise.
Son habileté à blesser était légendaire dans tout le quartier.
T.J

«ALLEZ NE RESTE PAS PLANTÉE LÀ COMME UNE IDIOTE. TU VIENS OU TU NE VIENS PAS?»
Je ne suis pas idiote quand je rêve! je voyage...
C'est une grande voyageuse, elle rêve souvent.

Difficulté à recevoir : disqualification du don. Valorisation du sacrifice et des privations.

" **Mais** il ne fallait pas m'acheter une robe, j'en ai plein l'armoire que je ne mets jamais... "

" **Ton** cadeau de l'an passé pour mon anniversaire, il est toujours dans son carton, je ne l'ai même pas ouvert !"

" **Mais** c'est bien trop beau pour moi ! Ça fait trop jeune et trop gai pour une pauvre femme comme moi, qui travaille toute la journée à s'user les genoux..."

" **J'ai** l'habitude de me contenter de peu. Il ne fallait pas faire de frais pour moi. De toute façon la fête des mères, c'est encore une invention des commerçants pour faire de l'argent. Il vaudrait mieux garder votre argent pour des choses qui en valent la peine..."

" **Ce** gâteau que vous avez apporté, il a l'air bien bon, il est vraiment beau... mais je ne sais pas s'il va bien aller avec le repas tout simple que je vous ai préparé avec beaucoup d'amour..."

Personne, de tous les temps, n'avait autant souffert, donné, compris et sacrifié sa vie autant qu'elle. Tous les saints du paradis allaient se sentir coupables de n'avoir pas fait le dixième de ce qu'avait fait ma mère sur cette terre d'ingratitude.
O.S

«J'AI L'HABITUDE DE ME CONTENTER DE PEU. IL NE FALLAIT PAS FAIRE DES FRAIS POUR MOI. DE TOUTE FAÇON LA FÊTE DES MÈRES C'EST ENCORE UNE INVENTION DES COMMERÇANTS POUR FAIRE DE L'ARGENT. IL VAUDRAIT MIEUX GARDER VOTRE ARGENT POUR DES CHOSES QUI EN VALENT LA PEINE...»
Elle me donne toujours le sentiment que je n'ai rien à offrir de valable, que je suis nul.
Je suis toujours heureux d'être offert moi !

Craindre les excès, les dérapages qui feraient perdre le pouvoir ou l'influence sur l'enfant.

" **Si** je l'écoute trop, il en profite, il préfère faire son bébé... "

"**On** ne peut pas se laisser marcher sur les pieds par un gamin, il ne manquerait plus que ça !"

" **Il** ne faut pas croire que tout est permis dans cette maison. Si tu ne sais pas encore qui commande ici... je vais vite te l'apprendre."

" **Oh !** je sais bien comment ça va se terminer votre jeu de casse-cou... arrêtez tout de suite, je ne peux pas supporter vos idioties !"

" **Je** vois bien où tu veux en venir avec ton air malheureux. Ça commence comme ça et puis après tu en profites pour faire ce que tu veux de moi..."

" **Ça** commence par des caprices, ça se poursuit par des habitudes et après on ne s'en sort plus..."

C'est bien simple, si tu ne veux pas m'écouter, ne me demande plus jamais rien. Je ne te répondrai plus jamais.
R.P

«OH ! JE SAIS BIEN COMMENT ÇA VA SE TERMINER VOTRE JEU DE CASSE-COU... ARRÊTEZ TOUT DE SUITE, JE NE PEUX PAS SUPPORTER VOS IDIOTIES !»

Il doit l'aimer beaucoup pour la transporter comme ça... parce que c'est pas facile !
Je joue à être heureux et je le suis !

Se centrer sur le passé ou sur l'avenir, mais surtout ne pas entendre au présent.

" **De** mon temps on ne répondait pas comme ça à ses parents..."

" **Tu** verras plus tard... tu reconnaîtras que j'avais bien raison de te prévenir et de te mettre en garde contre ce projet !"

" **Quand** tu seras plus âgé, tu comprendras que ce n'est pas ce que tu crois..."

" **A** mon époque on n'aurait jamais accepté des choses pareilles. Mais où va-t-on ?"

" **Heureusement,** dans 20 ans, je ne serai plus là pour voir ça !"

" **Tu** le regretteras sûrement un jour, mais alors ce sera trop tard."

" **Tu** ne peux pas comprendre, tu verras quand tu auras des enfants si c'est aussi facile..."

Pour ma mère le présent n'existait pas. Ce qui comptait c'était l'avenir. Il fallait se priver du présent si on voulait savourer l'avenir et avoir quelque espoir de bonheur.
S.F

«TU NE PEUX PAS COMPRENDRE,
TU VERRAS QUAND TU AURAS DES ENFANTS
SI C'EST AUSSI FACILE...»
Vivre au présent est parfois tellement ennuyeux, qu'il vaut mieux se réfugier dans le passé ou l'avenir!
Pour l'instant j'aide ma mère à terminer ses courses, et je découvre qu'il manque la BD que j'avais pourtant mis dans le caddy!

Ramener tout à soi, réagir en écho ou en miroir. " Faire la preuve par soi !"

" **Je** ne vois pas où est le problème, je me suis bien débrouillé tout seul quand j'avais ton âge. Je n'avais personne pour m'aider, pour me comprendre, moi ! Ça ne m'a pas empêché de réussir dans la vie !"

" **Je** n'ai pas eu la chance d'avoir des cours supplémentaires. Tu pourrais me remercier..."

" **S'il** fallait écouter tout ce que vous dites tes frères et toi, on passerait sa vie à ça ! Je n'ai heureusement pas que ça à faire... "

" **Tu** m'en veux sûrement, j'en suis sûre ! Qu'est-ce que j'ai bien pu faire pour que tu sois si contrarié !"

Tout événement n'existait qu'en fonction de la côte d'amour que lui attribuait ma mère. Le monde se mettait à l'heure de ses sentiments. Et bien évidemment notre vie dépendait entièrement de ses humeurs.
H.J

«JE NE VOIS PAS OÙ EST LE PROBLÈME, JE ME SUIS BIEN DÉBROUILLÉ TOUT SEUL QUAND J'AVAIS TON ÂGE. JE N'AVAIS PERSONNE POUR M'AIDER, POUR ME COMPRENDRE MOI ! ÇA NE M'A PAS EMPÊCHÉ DE RÉUSSIR DANS LA VIE !»
La pollution dans les relations humaines, ça existe... Oui !
Je crois que j'ai eu tort de lui parler de ce projet de voyage à l'étranger... Je voulais son avis, pas plus, un encouragement quoi !

Minimiser, banaliser.

" **Tu** ne veux pas me rendre ce petit service ?"

" **Je** ne te demande pas la lune quand même ! Juste de passer voir ton grand-père de temps en temps pendant que je serai absente..."

" **Mais** enfin, ce que je te demande, ce n'est pas la mer à boire, tu pourrais faire un tout petit effort... "

" **Mais** c'est juste une petite égratignure, tu ne vas pas pleurnicher durant des heures pour ça !"

" **Tu** prendras bien encore un peu de légumes, juste pour me faire plaisir..."

Rien n'était grave, tout allait s'arranger, rien de mauvais ne pouvait nous arriver. Nous étions sous l'aile protectrice de la providence, du hasard toujours bienveillant à notre égard. " La vie est faite pour être vécue sans regret..."
D.H

«MAIS ENFIN, CE QUE JE TE DEMANDE, CE N'EST PAS LA MER A BOIRE TU POURRAIS FAIRE UN TOUT PETIT EFFORT...»
C'est pas l'effort, c'est le ton ! C'est la plainte, c'est la cata... c'est sans fin !
La mère à boire c'est pas facile. On peut même s'y noyer !

Se présenter comme un parent parfait, méritant, indéfectible, parfaitement incapable d'avoir un seul... défaut.

" **Il** n'y en pas beaucoup qui comme moi aurait lâché un travail intéressant pour s'occuper de leurs enfants..."

" **Je** ne me suis jamais remarié à cause de vous. Je ne voulais pas vous imposer une mère de remplacement..."

" **Quand** je pense à toutes les nuits sans sommeil, à tous les dimanches que j'ai passés à repasser, à coudre, à vous préparer de bons petits repas... "

" **Je** ne me suis jamais plainte. J'ai toujours fait ce qu'on attendait de moi, j'étais toujours là quand on avait besoin de moi... Vous en connaissez beaucoup, vous, qui auraient fait la même chose !"

" **J'ai** toujours bien travaillé à l'école, il le fallait d'ailleurs. Je ne risquais pas de manquer un jour de classe ou d'arriver en retard. Je montrais mes devoirs à mon père dès qu'il arrivait..."

Il faut devenir adulte pour découvrir que les adultes n'existent pas et que nous avons été élevés par des enfants que l'armure de nos rires rendait faussement invulnérables.
Christian Bobin

«QUAND JE PENSE A TOUTES LES NUITS SANS SOMMEIL, A TOUS LES DIMANCHES QUE J'AI PASSÉS A REPASSER, A COUDRE, A VOUS PRÉPARER DE BONS PETITS REPAS...»

Jamais je n'arriverai à rembourser tout ça! je n'ai pas le droit d'être heureuse... si elle a été si malheureuse à cause de moi!

Alimenter les bonnes images : celles de la bonne mère ou du bon père.

" **Vous** n'avez jamais manqué de rien, j'ai veillé à tout..."

" **Vous** ne pouvez rien me reprocher, j'ai tout fait pour que vous soyez heureux, que vous réussissiez dans la vie..."

" **Il** y en a qui laissent leurs enfants dans la rue, moi je vous ai toujours interdit de parler à des étrangers..."

" **Ce** n'est pas ma faute si tu as attrapé froid. Je t'avais mis pourtant un manteau, mais tu as dû bêtement l'enlever pour pouvoir courir plus vite avec tes copains..."

" **Tu** n'as même pas besoin de demander, je sais tout ce qu'il te faut, je devine, je prévois. C'est normal pour une mère qui aime ses enfants... "

" **Oh !** je sais, on peut se moquer de moi, mais je n'ai rien à me reprocher, j'ai ma conscience pour moi... "

Lorsque j'étais enfant, j'avais pour les "grandes personnes" un sentiment bizarre, mélange d'attrait et de défiance. Il me semblait que le monde des "grandes personnes" était un autre monde, interdit aux enfants.
Jean Guitton

«VOUS NE POUVEZ RIEN ME REPROCHER, J'AI TOUT FAIT POUR QUE VOUS SOYEZ HEUREUX, QUE VOUS RÉUSSISSIEZ DANS LA VIE...»
Je ne veux pas réussir dans la vie. Je souhaite faire de la musique qui me plaise.
C'est terrible d'avoir des parents Z-Z-Z- parfois on ne s'en remet pas!

Se raconter des contes, s'auto-justifier.

" **Mais** moi je vous aime pareil... je ne fais aucune différence entre vous..."

" **On** pourra dire ce qu'on voudra, mais j'ai fait pour le mieux. Et s'il y en a qui trouvent quelque chose à redire, ils n'ont qu'à venir me voir, j'ai des réponses toutes prêtes..."

" **Aujourd'hui**, les enfants s'imaginent qu'on ne les aime plus, si on leur refuse la moindre chose. Avec moi, vous avez eu tout ce qu'il fallait pour être heureux... "

" **Si** j'avais écouté votre père, on n'en serait pas arrivé où on en est aujourd'hui. Heureusement que j'étais là pour veiller à tout..."

Si un jour vous voulez progresser en philosophie comme en religion, faites-vous interroger par un enfant. Vous ne pouvez pas toujours lui répondre, mais il vous fera découvrir la vérité, car le vrai est toujours voilé.
Heidegger à Jean Guitton

Être aimé pareil c'est être confondus!
Je me sens différente de toi... je veux être aimée pour moi!
Moi aussi je ne veux pas être aimé comme lui!
«MAIS MOI JE VOUS AIME PAREIL... JE NE FAIS AUCUNE DIFFÉRENCE ENTRE VOUS...»

Extorquer des promesses, des engagements définitifs.

" **Tu** me promets que tu ne me mentiras plus du tout, hein, tu me promets ?"

" **Je** compte sur toi pour que jamais plus de pareilles choses ne se reproduisent, tu entends bien, promets-moi..."

" **Tu** me jures que tu ne me feras plus de peine, jure-le sur ce que tu as de plus sacré au monde, sinon je ne serai pas tranquille !"

" **Mon** petit chéri, jure à tes parents que jamais plus tu ne recommenceras..."

" **Promets**-moi que tu t'occuperas de ta sœur handicapée quand ton père et moi, nous ne serons plus là... Promets-moi de tenir ta promesse !"

Je devais promettre que je serais toujours heureux. "Tu me le promets, tu ne seras pas malheureux, car je ne le supporterais pas..." Et je promettais pour avoir la paix, quelques instants.
P.V

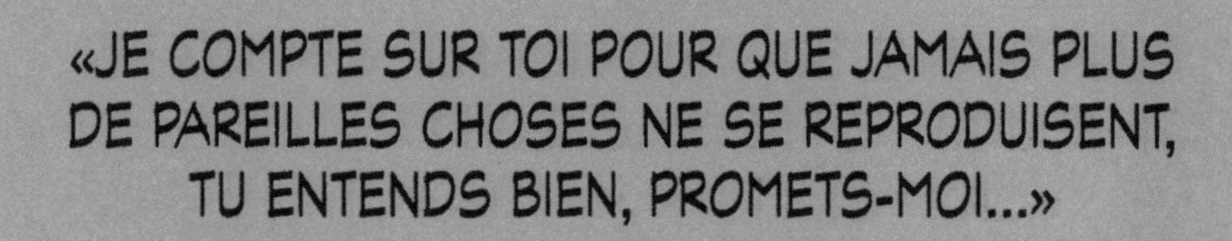
«JE COMPTE SUR TOI POUR QUE JAMAIS PLUS DE PAREILLES CHOSES NE SE REPRODUISENT, TU ENTENDS BIEN, PROMETS-MOI...»

C'est comme si je devais lui promettre qu'elle ne sera plus jamais inquiète!
A force de trop promettre on n'a plus de cohérence.

Vous pouvez aussi oublier de vous rappeler que l'amour parental est offert justement pour permettre à un enfant de grandir et de nous quitter.

" **Tu** te crois grand maintenant, mais tu sais bien que tu as besoin de moi pour vivre."

" **Il** faut tout te dire, tu as encore oublié d'éteindre la lumière dans ta chambre. Si je n'étais pas là, je ne sais pas ce que tu deviendrais !"

" **Mais** tu serais perdu sans moi... tu ne sais même pas manger tout seul... "

" **Si** je t'appelle ma puce, mon lapin ou ma poule, c'est pour te montrer que je t'aime bien, mon petit chat !"

" **Tu** seras toujours mon petit bébé, je t'ai porté, je t'ai nourri et personne ne t'enlèvera à moi. Seule une vraie mère peut comprendre son enfant !"

" **Tu** ne sais pas que l'amour d'une mère est terrible, ne me mets pas à l'épreuve..."

"Il suffit d'aimer ses enfants, tout le reste n'est que foutaise", nous répétait-elle devant chaque difficulté. L'amour était pour elle la grande panacée universelle pour résoudre tous les problèmes de la vie.
K.L

«IL FAUT TOUT TE DIRE TU AS ENCORE OUBLIÉ D'ÉTEINDRE LA LUMIÈRE DANS TA CHAMBRE. SI JE N'ÉTAIS PAS LÀ, JE NE SAIS PAS CE QUE TU DEVIENDRAIS!»
Quand je serai grand j'essaie-rai de ne pas agir petit et de me débrouiller tout seul!
Moi j'aime le désordre pour jouer avec!

Ouverture

Malgré les parents, il arrive parfois aux enfants de bien s'en sortir !

Comme vous avez pu le remarquer, nous avons répertorié plus de 36 façons ordinaires de saboter la communication. Nous avons voulu attirer votre attention et aussi vous stimuler, en vous présentant les plus efficientes !
Si vous en trouvez de nouvelles, n'hésitez pas à les partager avec vos proches. Ils vous en seront (peut-être) reconnaissants !

Si d'aventure ou par mégarde vous souhaitiez supprimer quelques-unes de ces habitudes, vous pouvez aussi oser le faire sans culpabilité, votre enfant apprendra ainsi à ne pas les engranger et sera dispensé de les resservir dans quelques années à ses propres enfants.

Et quelques autres moyens et manières possibles pour permettre à un enfant et à un ex-enfant appelé adulte, de mieux communiquer... entre eux.

Pratiquer plus fréquemment la confirmation.

" Oui toi tu me vois comme douillet ! C'est ton regard à toi sur moi. Moi je ne me reconnais pas comme quelqu'un de douillet, je suis simplement en train de te dire que maintenant j'ai mal..."

" Oui j'entends que tu ne veux pas aller te coucher et que ton désir est de rester devant la télévision. Mais ça ne change rien à ma demande, je t'invite à aller au lit !"

Inviter à se dire au niveau du ressenti.

" Dis moi ce que tu ressens, quand tu vois que je ne suis pas rentrée à 20 heures !"

" Si tu peux me parler de ta déception ou de ce que tu avais imaginé avec ce vélo que je ne peux t'acheter pour l'instant..."

" C'est vrai que je suis angoissée devant tes résultats scolaires. Il y a plein d'images négatives qui me traversent..."

S'engager à s'occuper de ses propres besoins, de faire pour sa gêne, de se responsabiliser à son bout de la relation.

" J'entends bien chez moi que tes difficultés scolaires m'inquiètent. Je ne sais pas si tu as envie de faire quelque chose pour toi, mais moi, je vais prendre soin de mon inquiétude..."

" C'est bien toi qui éprouve le besoin d'être rassuré Papa, quand tu me demandes de te dire avec qui je sors ce soir ! C'est mon intimité, si tu as besoin d'être rassuré, je t'invite à faire quelque chose pour ton besoin !"

Ne pas laisser croire à l'enfant qu'il est chez lui... quand il est chez vous.

" C'est vrai que je t'interdis de fumer dans la maison. C'est mon territoire, le jour où tu disposeras d'un territoire à toi... tu fumeras comme bon te semblera !"

" Je comprends ton désir d'inviter tes amis à la maison. Si tu veux faire quelque chose pour ce désir, j'attends que tu me donnes des garanties sérieuses sur l'organisation de ta soirée !"

Ne pas prendre en charge tous les besoins, les désirs ou les peurs de l'autre.

" Jusqu'à présent je me suis senti obligé de venir tous les dimanches. A partir de maintenant, je ne passerai plus systématiquement mais en fonction de ma disponibilité réelle."

Accepter de prendre le risque de grandir sans eux...

" Je ne vais pas toujours répondre à ton besoin d'être accompagné. Je vais prendre le risque de te laisser aller tout seul..."

Oser entendre qu'ils puissent vous dire...

" J'ai bien entendu que tu souhaiterais que je rentre les fins de semaine. J'ai d'autres engagements, je suis en train de me délier un peu de vous..."

" C'est bien toi qui a voulu t'inscrire à ce cours d'anglais. Ce n'était pas mon choix. Je ne prends pas l'engagement de venir t'aider à réviser tes leçons chaque mercredi..."

Ne jamais se justifier.

" Oui, j'entends que tu m'as appelée à 7 H ce matin et que tu es étonnée de ne pas m'avoir trouvée !"

" J'ai bien entendu ta déception quand je t'ai dis que je ne serais pas là à Noël..."

Mieux différencier le niveau des sentiments et celui de la relation.

" Je ne doute pas de tes sentiments pour moi, tu n'as pas besoin de me rappeler chaque fois qu'il y a une opposition entre nous, que tu m'aimes. Je le sais. Ce qui est en jeu dans notre conflit, c'est la relation. Parlons de cela..."

" Je ne veux pas me sentir escroqué chaque fois que vous vous abritez derrière votre amour pour moi, pour tenter de m'imposer votre point de vue..."

Pratiquer la confirmation et se positionner face à chaque demande, face à chaque désir.

" J'ai bien entendu ton désir de sortir, je ne te donne pas mon accord "

" Oui je sais que tu trouves cette émission passionnante et que tu voudrais la regarder jusqu'au bout, mais cela ne change rien à ma demande, je t'invite à te coucher. "

" Je trouve que c'est un beau désir de vouloir un chat, qu'est ce que tu es prêt à faire pour ton désir, car je n'ai pas l'intention de l'acheter, ni de m'en occuper plus tard ?"

" J'ai entendu ta peur des voleurs, accepterais-tu de me la présente cette peur en choisissant l'objet de ton choix ? Déjà pour la sortir de toi, ensuite pour savoir si toi, tu as envie de faire quelque chose pour cette peur !"

" Ta colère me touche, je ne sais pas ce que j'ai déclenché chez toi en te refusant cette sortie. Accepterais tu de me dire ce qu'elle représente pour toi ?"

" C'est important pour moi de te dire combien je suis irrité de tes résultats. J'ai l'intention de m'occuper de mon irritation et de mes inquiétudes car elles sont bien chez moi..."

Et puis, et puis, pour aller encore un peu plus loin, vous êtes invités à mettre en pratique les autres règles d'hygiène relationnelle que j'ai développées ou tout au moins à vous appuyer dessus en les partageant, en les commentant avec vos enfants et votre partenaire.

Du même auteur.

Supervision et formation de l'éducateur spécialisé — 1972 (épuisé)
Ed. Privat

Parle moi... j'ai des choses à te dire — 1982
Ed. de l'Homme - Vivre en couple

Je t'appelle tendresse — 1984
Ed. l'Espace Bleu - Poétique relationnelle

Relation d'aide et formation à l'entretien — 1987
Presse Universitaire de Lille

Apprivoiser la tendresse — 1988
Ed. Jouvence - Vivre la tendresse à plein temps

Les Mémoires de l'oubli — 1989
Ed. Jouvence - Ecrit en collaboration avec Sylvie Galland - À l'écoute de son histoire familiale

Papa, maman, écoutez-moi vraiment — 1989
Ed. A. Michel - A l'écoute des langages du corps et de l'imaginaire chez nos enfants

Si je m'écoutais... je m'entendrais — 1990
Ed. de l'Homme - Ecrit en collaboration avec Sylvie Galland - Vivre avec soi- même

Je m'appelle toi — 1990
Roman - Ed. A. Michel

T'es toi quand tu parles — 1991
Ed. A. Michel - Jalons pour une grammaire relationnelle